Le Banquet

ŒUVRES PRINCIPALES

Alcibiade
Apologie de Socrate
Le Banquet
Charmide
Cratyle
Criton
Euthydème
Gorgias
Hippias majeur
Hippias mineur
Ion
Lachès
Lysis
Ménexène
Ménon
Parménide
Phédon
Phèdre
Philèbe
Le Politique
Protagoras
La République
Théétète
Timée

Platon

Le Banquet

[ou *De l'Amour* : genre moral]

Texte établi et traduit par Paul Vicaire
avec le concours de Jean Laborderie

Texte intégral

Introduction : Aristodème a rapporté à Apollodore les propos tenus dans un banquet chez Agathon

APOLLODORE. – Je crois être assez bien préparé à satisfaire votre curiosité. L'autre jour en effet, je venais de chez moi, à Phalère, et montais vers la ville, quand un homme de ma connaissance, derrière moi, m'aperçut et de loin m'appela en plaisantant : « Hé, dit-il, l'homme de Phalère ! hé, toi, Apollodore ! tu ne veux pas m'attendre ? » Je fis halte et l'attendis. Il reprit : « Apollodore, je te cherchais justement tout à l'heure. Je voulais te questionner sur l'entretien d'Agathon, de Socrate, d'Alcibiade et des autres personnages qui assistèrent avec eux au banquet, et savoir quels discours on y tenait sur l'amour. Un autre me l'a raconté, qui l'avait appris de Phénix, le fils de Philippe ; il m'a déclaré que tu étais au courant toi aussi, mais lui, malheureusement, ne pouvait rien dire de précis. Aussi, je t'en prie, raconte : tu as plus de droits que personne à rapporter les discours de ton compagnon. Mais, ajouta-t-il, dis-moi pour commencer : tu étais présent toi-même à cette réunion, n'est-ce pas ? – On voit bien, répondis-je, que ce conteur ne t'a rien conté de précis, si tu crois la réunion dont tu t'informes assez récente pour que je m'y sois trouvé. – C'est pourtant ce que je pensais. – Comment est-ce possible, Glaucon ? Il y a plusieurs années, l'ignores-tu ? qu'Agathon est absent d'Athènes, et depuis que je fréquente Socrate et que je m'applique chaque jour à savoir ce qu'il dit et ce qu'il fait, il s'est passé moins de trois ans. Avant, j'allais ici et là, au petit bonheur, je croyais faire vraiment quelque chose, mais j'étais plus malheureux que personne, tout comme toi maintenant, qui crois que toute occupation vaut mieux que la philosophie. – Ne me raille pas, dit-il, apprends-moi plutôt quand eut lieu cette réunion. – Nous étions encore enfants, répondis-je ; c'était le temps où Agathon remporta le prix avec sa première tragédie, le lendemain du jour où il offrit, avec ses choreutes, le sacrifice en l'honneur de sa victoire. – Alors, dit-il, cela remonte sans doute à bien des années. Mais qui t'en a fait le récit ? Socrate lui-même ? – Non, par Zeus, dis-je, mais celui qui l'a raconté à Phénix, un certain Aristodème de Kydathénéon, un petit homme qui allait toujours pieds nus. Il avait assisté à l'entretien : il était un des admirateurs les plus passionnés de Socrate dans ce temps-là, à ce qu'il me semble. Mais je n'ai pas manqué depuis de questionner Socrate lui-même sur ce que je tenais d'Aristodème : il a reconnu que son récit était exact. – Eh bien, dit-il, raconte vite. La route de la ville est du reste faite exprès pour converser en marchant. »

Nous voilà donc en chemin, et parlant de ces choses : c'est pourquoi, comme je le disais au début, je suis assez bien préparé à vous en instruire. Si donc ce récit vous est dû à vous aussi, je me sens obligé de le faire. Pour moi, du reste, quand je parle moi-même de philosophie, ou que d'autres en parlent devant moi, en dehors du sentiment que cela m'est profitable, j'éprouve le plaisir le plus vif. Quand au contraire j'entends parler certaines personnes, en particulier vos gens riches, vos banquiers, leurs propos me pèsent et j'ai pitié de vous, mes amis, qui croyez faire vraiment quelque chose, et pourtant ne faites rien qui vaille. De votre côté, vous me jugez sans doute malheureux et vous croyez là, je crois, la vérité. Mais que vous le soyez, vous, je ne le crois pas ; je le sais, et fort bien !

L'AMI D'APOLLODORE. – Tu es toujours le même, Apollodore ; tu dis toujours du mal de toi et des autres. Tu m'as l'air de penser que, Socrate mis à part, tout le monde est absolument misérable, à commencer par toi. D'où vient ton surnom de « furieux », je l'ignore. Dans tes propos en tout cas tu ne changes pas : tu es en colère contre toi et contre les autres, excepté Socrate.

APOLLODORE. – Mon très cher, n'est-ce pas l'évidence même ? Cette opinion que j'ai de moi-même et des autres ne prouve-t-elle pas que je suis fou, que je délire ?

L'AMI D'APOLLODORE. – Ce n'est pas la peine, Apollodore, de nous quereller à présent là-dessus. Fais ce que nous t'avons demandé, ne te dérobe pas, raconte : quels étaient ces discours ?

APOLLODORE. – Eh bien, les voici à peu près. Mais il vaut mieux que je prenne le récit à son commencement, et que j'essaye de refaire pour vous, à mon tour, le récit d'Aristodème.

« Je rencontrai Socrate, me dit-il, qui sortait du bain et avais mis des sandales, ce qui n'était guère dans ses habitudes. Je lui demandai où il allait, pour s'être fait si beau. Il me répondit : "Je vais dîner chez Agathon. Hier, à la fête en l'honneur de sa victoire, je lui ai faussé compagnie, car je craignais la foule. Mais j'ai accepté de me rendre chez lui aujourd'hui, et c'est la raison de cette belle toilette : je veux être beau pour aller chez un beau garçon. Et toi, au fait, dit-il, que penserais-tu de venir dîner sans être invité ?" Je répondis : "Ce sera comme tu décideras. – Alors suis-moi, dit-il. Ainsi nous ferons mentir, en le modifiant, le proverbe qui dit : les gens de bien vont dîner chez les gens de bien sans y être priés. Homère risque de n'avoir pas seulement fait mentir le proverbe, mais de lui avoir fait violence. En effet, il représente Agamemnon comme un guerrier de premier ordre et Ménélas comme un *guerrier sans nerf* ; puis au repas offert par Agamemnon après un sacrifice, il nous montre Ménélas arrivant au festin sans y être invité : le moins bon vient au festin du meilleur." A cela, dit Aristodème, j'ai répondu : "Je vais sans doute courir moi-même un risque, mais pas celui que tu dis, Socrate ; je crains plutôt d'être, comme chez Homère, le pauvre homme qui se rend au festin d'un savant personnage sans y être invité. A toi de voir, si tu m'y amènes, quelle excuse trouver, car moi je n'avouerai pas que je suis venu sans être invité ; je dirai que l'invitation vient de toi. *Quand on va deux de compagnie*, me répondit-il, *l'un voit pour l'autre* : nous chercherons ce que nous allons dire. Allons, en route !" »

« Tels avaient été à peu près leurs propos, disait-il, quand ils se mirent en route. Or Socrate, l'esprit concentré sur lui-même, restait en arrière sur le chemin. Comme je l'attendais, il me dit de continuer à avancer. Quand j'arrivai chez Agathon, je trouvai la porte ouverte, et là je me vis dans une situation un peu comique ; en effet un esclave vint aussitôt de l'intérieur à ma rencontre et me conduisit dans la salle où les autres avaient pris place ; je les trouvai déjà prêts à dîner. Sitôt qu'Agathon m'aperçut : "Aristodème, dit-il, tu arrives à point pour dîner avec nous. Si tu es venu pour autre chose, remets cela à plus tard, car hier justement je t'ai cherché pour t'inviter, et je n'ai pu t'apercevoir. Mais au fait, et Socrate ? Tu ne nous l'amènes pas ?" Alors je me retourne, disait Aristodème, et point de Socrate : je vois qu'il ne m'avait pas suivi. J'expliquai donc que j'étais venu avec Socrate, et que c'était lui qui m'avait invité à venir dîner en ce lieu. "Tu as bien fait, dit Agathon. Mais lui, où est-il ? – Il marchait derrière moi il y a un instant et moi aussi je me demande avec surprise où il peut bien être. – Petit, dit Agathon, dépêche-toi d'aller voir où est Socrate, et amène-le vite. Toi, Aristodème, dit-il, prends place sur ce lit à côté d'Eryximaque." Alors comme un domestique lui lavait les pieds, pour qu'il puisse s'étendre, un autre, disait-il, arriva, annonçant cette nouvelle : "Ce Socrate dont vous parlez s'est retiré dans le vestibule des voisins ; il est là debout ; j'ai beau appeler, il ne veut pas venir. – Voilà qui est bien curieux, dit Agathon. Retourne vite l'appeler, et ne le lâche pas. – N'en faites rien, dis-je, laissez-le plutôt ! C'est une habitude qu'il a de se mettre parfois à l'écart, n'importe où, et de rester là, debout. Il viendra tout à l'heure, je pense : ne le troublez pas, laissez-le. – Eh bien, soit, laissons-le, si tel est ton avis, dit Agathon. Quant à nous, il faut nous faire dîner, mes petits. Vous servez toujours ce qu'il vous plaît, quand personne n'est là pour vous surveiller – ce que je n'ai jamais fait de ma vie ! Aujourd'hui, figurez-vous que moi-même, et les autres convives ici présents, nous sommes vos invités, et soignez-nous, afin de mériter nos compliments !"

Socrate arrive enfin et prend place

« Là-dessus, disait Aristodème, nous voilà à table, mais Socrate ne venait point. Agathon demandait à chaque instant qu'on allât le chercher, mais je l'en empêchais. Enfin il arriva, sans s'être aussi longtemps attardé qu'à l'ordinaire, mais on était déjà vers le milieu du repas. Alors Agathon, qui se trouvait seul sur le dernier lit, s'écria : "Viens ici, Socrate, mets-toi près de moi, que je profite à ton contact de la science qui t'est venue dans le vestibule ; car il est bien clair que tu l'as trouvée, cette science, et que tu la tiens ; sinon tu n'aurais pas bougé." Socrate s'assit et dit : "Ce serait une bonne chose, Agathon, si le savoir était de nature à s'écouler du plus plein au plus vide, dès lors que nous serions, nous deux, au contact l'un de l'autre : ainsi l'eau s'écoule, par l'intermédiaire du brin de laine, de la coupe la plus pleine à la coupe la plus vide. S'il en est ainsi du savoir, j'attache un grand prix à me trouver à tes côtés, car j'imagine qu'une grande et belle science, venue de toi, va m'emplir. Ma science à moi est sans doute médiocre, et même douteuse comme un songe, tandis que la tienne est éclatante et peut se développer beaucoup encore, elle qui a brillé si vivement en toi dès ta jeunesse, et s'est manifestée avant-hier devant plus de trente mille Grecs, qui en furent les témoins. – Tu es un moqueur, Socrate, dit Agathon. Nous ferons valoir nos droits un peu plus tard, toi et moi, en ce qui concerne la science, en prenant pour juge Dionysos. Pour l'instant songe d'abord à dîner."

« Après cela, disait Aristodème, Socrate prit place sur le lit. Quand il eut dîné, et les autres avec lui, on fit des libations, on chanta en l'honneur du dieu, il y eut toutes les cérémonies d'usage, et l'on s'apprêta à boire. Ce fut Pausanias, alors, qui prit la parole, à peu près en ces termes : "Eh bien, mes amis, comment allons-nous faire pour boire sans nous incommoder ? Moi, je vous le déclare, je ne me sens vraiment pas bien après la beuverie d'hier et je demande à respirer un peu ; du reste vous êtes dans mon cas, je pense, pour la plupart, car vous étiez là hier. Avisez donc : comment pourrions-nous boire sans nous incommoder ?" Aristophane intervint : "Bien dit, Pausanias. Tu as raison de vouloir en tout cas nous épargner les désagréments de la boisson ! Moi-même je suis de ceux qui se sont bien arrosés hier !"

On se met d'accord pour ne pas boire avec excès

« A ces mots, disait Aristodème, Eryximaque le fils d'Acoumène intervint : "Vous avez tout à fait raison, dit-il. Et il en est encore un, parmi vous, que je

voudrais entendre. Comment te sens-tu, Agathon ?
As-tu la force de boire ? – Pas du tout, répondit-il.
Moi non plus je n'en ai pas la force. – C'est probablement, dit Eryximaque, une chance pour nous, à
ce qu'il paraît – pour moi, pour Aristodème, pour
Phèdre, pour ceux qui sont ici – que vous, les plus
forts buveurs, vous ayez maintenant renoncé, car
nous autres nous ne sommes jamais de taille. Pour
Socrate, je fais exception : il est également capable
de boire ou de ne pas boire, si bien qu'il trouvera
toujours son compte, quelque parti que nous prenions. Comme personne ici ne me paraît très dis-
posé à boire beaucoup de vin, peut-être réussirai-je,
en vous disant la vérité sur l'ivresse, à ne pas trop
vous déplaire. Pour moi, s'il est une évidence que
la médecine m'ait donné d'apercevoir, c'est que
l'ivresse est un mal pour l'homme. Et pour ma part
je ne me sens guère porté à boire outre mesure, ni
à conseiller à un autre de le faire, surtout s'il a la
tête encore lourde de la veille." Phèdre de Myrrhi-
nonte, d'après Aristodème, intervint : "Moi j'ai
l'habitude de te croire, surtout quand tu parles de
médecine, mais aujourd'hui les autres te croiront
aussi, s'ils sont raisonnables." Ces paroles furent
écoutées. A l'unanimité l'on décida de ne pas
employer cette soirée à s'enivrer. On ne boirait que
selon son plaisir.

Proposition d'Eryximaque : chacun fera l'éloge de
l'Amour

« "Eh bien donc, reprit Eryximaque, puisqu'il est
entendu que chacun boira autant qu'il voudra, mais
sans obligation, maintenant je propose de donner

congé à la joueuse de flûte qui est entrée tout à l'heure : qu'elle joue pour elle-même ou bien, si elle veut, pour les femmes de la maison. Nous, nous passerons en discours la réunion d'aujourd'hui. En discours de quelle nature ? Si vous voulez, je suis prêt à vous faire une proposition." Tout le monde fut d'accord, dit Aristodème, et l'on pria Eryximaque de faire sa proposition. Il reprit donc : "Je parlerai pour commencer à la manière de la Mélanippe d'Euripide, *car ce discours n'est pas de moi*, que je vais prononcer, mais de Phèdre, ici présent. A chaque instant, en effet, Phèdre s'indigne et me dit : "N'est-il pas étrange, Eryximaque, que pour d'autres dieux il y ait des hymnes et des péans composés par les poètes, et qu'en l'honneur de l'Amour, ce dieu si puissant et si grand, jamais encore un seul poète, parmi tous ceux qui ont existé, n'ait composé le moindre éloge ? Considère également, si tu veux, les sophistes de talent : ils écrivent en prose l'éloge d'Héraclès, et d'autres encore. C'est le cas de l'excellent Prodicos. Il n'y a pas là de quoi tant s'étonner. Ne suis-je pas tombé déjà sur un livre d'un savant homme, où il était question du sel, qui recevait un magnifique éloge, pour son utilité ? Bien d'autres choses du même ordre, on pourrait le constater, ont été célébrées. On s'est donné beaucoup de peine pour traiter de pareils sujets, mais l'Amour, lui, n'a trouvé personne qui ait eu jusqu'à présent le courage de le chanter comme il le mérite ! Voilà comment on néglige un si grand dieu !" Sur ce point je crois que Phèdre a bien raison. Je désire donc, pour ma part, à la fois lui apporter ma contribution, et lui être agréable ; et en même temps il nous convient maintenant, je crois, à nous qui sommes ici, d'honorer le dieu. Si vous êtes du même avis, nous aurons là sans doute, pour passer notre temps, un sujet d'entretien assez riche. Je crois en effet que chacun de nous doit, en allant de gauche à droite, prononcer un éloge de l'Amour, le plus bel éloge dont il sera capable. Phèdre parlera le premier, puisqu'il occupe la première place, et qu'il est en même temps le père du sujet. – Personne, mon cher Eryximaque, dit Socrate, ne votera contre ta proposition. Ce n'est pas moi qui m'y opposerai, moi qui déclare ne rien savoir hors de ce qui touche à l'amour ; ce n'est pas non plus Agathon ou Pausanias, ni bien sûr Aristophane, qui ne s'occupe que de Dionysos et d'Aphrodite, ni aucun de ceux que je vois ici. Toutefois la partie n'est pas égale pour nous, qui occupons les dernières places. Mais si ceux qui se trouvent avant nous parlent avec pertinence et brillamment, nous serons satisfaits. Que Phèdre commence : nous lui souhaitons bonne chance. Qu'il fasse l'éloge de l'Amour."

« Là-dessus, bien sûr, tout le monde fut d'accord et se joignit à l'invitation de Socrate. Aristodème ne se rappelait pas exactement ce que chacun avait dit, et moi-même je n'ai pas le souvenir de tout ce qu'il me disait. Mais le plus important, et ce qui m'a semblé le plus digne d'être retenu, je vais vous le rapporter sous la forme où chacun l'a dit.

Première partie : Discours prononcés avant celui de Socrate.
Phèdre : Mythologie et littérature

« Comme je viens de le dire, Phèdre, d'après Aristodème, parla le premier ; il commença son discours à peu près en ces termes : "C'est un grand dieu que l'Amour, un dieu qui mérite l'admiration des hommes et des dieux, et cela pour bien des raisons, dont la moindre n'est pas son origine.

"Il compte parmi les plus anciens dieux, ce qui, ajoutait-il, est un honneur. De cette ancienneté nous avons une preuve : l'Amour n'a ni père ni mère, et personne, ni prosateur, ni poète, ne lui en donne. Hésiode nous dit que d'abord il y eut le Chaos,

et puis la Terre au large sein,
sûre assise à jamais offerte à tous vivants
et l'Amour...

Et, d'accord avec Hésiode, Acousilaos dit lui aussi qu'après le Chaos sont nés ces deux êtres, la Terre et l'Amour. Quant à Parménide, en parlant de la Génération, il dit :

de tous les dieux, l'Amour fut le premier
qu'enfanta sa prudence.

Ainsi de plusieurs côtés on s'accorde à dire que l'Amour est un des dieux les plus anciens.

"Étant plus ancien, il est pour nous la source des plus grands bienfaits. Pour moi, je puis l'affirmer, il n'y a pas eu de plus grand bien, dès la jeunesse, que d'avoir un amant vertueux et, si l'on aime, de trouver la même qualité chez son bien-aimé. En effet le sentiment qui doit guider toute leur vie les hommes destinés à vivre selon le bien ne peut être inspiré ni par la parenté, ni par les honneurs, ni par la richesse, ni par rien d'autre, aussi bellement que par l'amour. Or, de quoi s'agit-il, je le demande ? De la honte liée à l'action laide, de l'émulation liée à l'action belle. Sans cela, nulle cité, nul individu ne peut rien faire de grand ni de beau. Aussi, je le déclare, un homme qui aime, s'il commet d'une manière flagrante un acte laid ou s'il supporte par lâcheté, sans se défendre, un traitement honteux souffrira sans doute moins d'être vu par son père, par ses camarades, par qui que ce soit d'autre, que par celui qu'il aime. Il en est de même pour l'aimé : c'est, nous le voyons bien, devant ses amants qu'il a le plus de honte, quand il est surpris à faire quelque chose de honteux. S'il existait un moyen de former une cité, ou une armée, avec des amants et leurs bien-aimés, il ne pourrait y avoir pour eux de meilleur gouvernement que s'ils rejetaient tout ce qui est laid, et rivalisaient dans la voie de l'honneur. Et si de tels amants combattaient au coude à coude, fussent-ils une poignée, ils pourraient vaincre pour ainsi dire le monde entier. Car pour un amant il serait plus intolérable de quitter son rang ou de jeter ses armes sous les yeux de son bien-aimé, que sous les yeux du reste de l'armée : il aimerait mieux mourir cent fois. Quant à laisser son bien-aimé, à ne pas le secourir dans le péril, nul n'est si lâche que l'Amour, par lui-même, ne lui inspire une divine vaillance et ne le rende égal au plus courageux de nature. Exactement comme chez Homère le dieu vient *insuffler* la fougue à certains héros, l'Amour accorde ce don aux amants, et ils le tiennent de lui.

"Mieux encore : mourir pour autrui, les amants seuls l'acceptent, et non seulement les hommes, mais les femmes. La fille de Pélias, Alceste, apporte aux Grecs un exemple assez clair de ce que je dis. Seule elle consentit à mourir pour son époux, alors qu'il avait son père et sa mère. Elle s'éleva si haut au-dessus d'eux par l'attachement né de son amour, qu'elle fit paraître ces gens étrangers à leur fils, sans autre lien avec lui que le nom. Ayant agi de la sorte, son acte parut si beau non seulement aux hommes, mais encore aux dieux, qu'entre tant de héros, auteurs de tant de belles actions, quand il en est fort peu dont les dieux, par privilège, aient rappelé l'âme du fond de l'Hadès, eh bien, son âme à elle, ils l'ont rappelée, car ils avaient admiré son acte. Tant il est vrai que les dieux même honorent de façon particulière le dévouement et la vaillance mis au service de l'Amour. Au contraire, ils ont renvoyé de l'Hadès Orphée, fils d'Œagre, sans qu'il eût rien obtenu. Ils lui montrèrent un fantôme de la femme pour laquelle il était venu, sans la lui donner elle-même ; son âme, en effet, leur semblait faible, car ce n'était qu'un joueur de cithare ; il n'avait pas le courage de mourir, comme Alceste, pour son amour, mais cherchait par tous les moyens à pénétrer vivant dans l'Hadès. C'est certainement pour cette raison qu'ils lui ont infligé une punition, et ont fait que sa mort fût l'œuvre des femmes. Ils n'ont pas agi de même avec Achille, le fils de Thétis : ils l'ont traité avec honneur, et l'ont envoyé aux îles des Bienheureux. En effet, prévenu par sa mère qu'il mourrait s'il tuait Hector, et que s'il ne le tuait pas il reviendrait dans son pays et finirait ses jours très âgé, il choisit courageusement de secourir Patrocle son amant, de le venger, et non seulement de mourir pour lui, mais en mourant de le suivre dans son trépas. Aussi les dieux, pleins d'admiration, lui ont-ils accordé des honneurs exceptionnels, pour avoir mis si haut son amant.

Eschyle n'est pas sérieux quand il prétend qu'Achille était l'amant de Patrocle : Achille était plus beau non seulement que Patrocle, mais aussi que tous les héros ensemble ; il n'avait pas encore de barbe au menton ; il était bien plus jeune par conséquent que Patrocle, comme le dit Homère. En fait si les dieux honorent particulièrement cette sorte de vaillance qui se met au service de l'amour, ils admirent, ils estiment, ils récompensent encore plus la tendresse du bien-aimé pour l'amant, que celle de l'amant pour ses amours : l'amant est en effet plus proche du dieu que l'aimé puisqu'un dieu le possède. Voilà pourquoi les dieux ont honoré Achille plus qu'Alceste, en l'envoyant aux îles des Bienheureux.

"Ainsi donc, je le déclare, l'Amour est entre les dieux celui qui a le plus d'ancienneté, le plus de dignité, le plus d'autorité pour conduire les hommes à la possession de la vertu et du bonheur, aussi bien dans leur vie qu'après leur mort."

Discours de Pausanias : les deux Amours

« Tel fut à peu près, selon Aristodème, le discours de Phèdre. Après Phèdre, d'autres parlèrent, qu'il ne se rappelait pas très bien. Il les laissa de côté, et me rapporta le discours de Pausanias, qui s'exprimait ainsi : "Je crois, Phèdre, que le sujet est mal posé, quand on nous demande simplement de faire l'éloge de l'Amour. Si l'Amour était un, cela irait.

Mais en fait il n'est pas un ; et comme il n'est pas un, mieux vaut expliquer d'abord lequel doit être loué. Je vais donc essayer, pour ma part, de rectifier les choses sur ce point, de préciser d'abord quel Amour il faut louer, ensuite de prononcer un éloge qui soit digne de ce dieu.

"Nous savons tous qu'il n'y a pas, sans Amour, d'Aphrodite. Si donc il n'y avait qu'une Aphrodite, il n'y aurait qu'un Amour. Mais comme elle est double, il y a de même, nécessairement, deux Amours. Comment nier qu'il existe deux déesses ? L'une, la plus ancienne sans doute, n'a pas de mère : c'est la fille du Ciel, et nous l'appelons Uranienne, 'la Céleste' ; l'autre, la plus jeune, est fille de Zeus et de Dioné, nous l'appelons Pandémienne, la 'Populaire'. Dès lors, nécessairement, l'Amour qui sert l'une doit s'appeler Populaire, et celui qui sert l'autre, Céleste. Il faut sans doute louer tous les dieux ; mais cela étant admis, quel domaine revient à chacun des deux Amours ? C'est ce qu'on doit essayer de dire. Toute pratique se caractérise en ceci : par elle-même, quand elle a lieu, elle n'est ni belle ni laide. Ainsi ce que maintenant nous faisons, boire, chanter, causer, rien de tout cela n'est beau par soi-même ; mais, dans la pratique, à telle manière correspond tel résultat, car en suivant les règles du beau et de la rectitude une pratique devient belle, sans rectitude au contraire, elle devient laide. Il en est de même de l'acte d'aimer, et tout amour n'est pas beau, ni digne d'éloge ; l'est seulement celui qui porte à aimer bien.

"Or celui qui relève de l'Aphrodite Populaire est véritablement populaire et opère au hasard : c'est celui des hommes vulgaires. D'abord l'amour de ces gens-là ne va pas moins aux femmes qu'aux garçons ; ensuite au corps de ceux qu'ils aiment plutôt qu'à l'âme, enfin aux plus sots qu'ils puissent trouver : ils n'ont en vue que d'arriver à leurs fins, sans nul souci de la manière – belle, ou non. D'où vient que dans la pratique ils rencontrent au hasard soit le bien, soit également son contraire. Cet Amour-là, en effet, se rattache à la déesse qui de beaucoup est des deux la plus jeune, et qui par son origine participe de la femelle comme du mâle. L'autre Amour, lui, participe de l'Aphrodite Céleste ; celle-ci, tout d'abord, est étrangère à l'élément féminin et participe seulement du sexe masculin ; ensuite elle est la plus ancienne, et ignore l'impulsion brutale. De là vient que se tournent vers le sexe mâle ceux que cet Amour inspire : ils chérissent ainsi le sexe qui par nature est le plus fort et le plus intelligent. Et l'on peut reconnaître, jusque dans ce penchant à aimer les garçons, ceux qui sont purement poussés par cet amour, car ils n'aiment pas les garçons avant qu'ils commencent à faire preuve d'intelligence. Or, cela n'arrive que vers le temps où la barbe leur pousse. Ils sont prêts, je crois, en commençant de les aimer à partir de cet âge, à rester liés avec eux toute la vie, à partager leur existence, au lieu d'abuser de la crédulité d'un jeune sot, de se moquer de lui, et de s'en aller courir après un autre. Il faudrait même une loi qui interdise d'aimer les enfants : ainsi on ne gaspillerait pas tant de soins pour un résultat imprévisible. Car on ne peut prévoir ce que deviendra un enfant, qu'il s'agisse de vice ou de vertu, et tant au moral qu'au physique. Les hommes de bien, sans doute, s'imposent d'eux-mêmes de bon gré cette loi. Mais il faudrait aussi que les amants vulgaires dont nous parlons subissent une contrainte de même ordre, et semblable à celle, que nous leur imposons dans la mesure du possible, de ne pas aimer les femmes de condition libre. Ce sont eux en effet qui ont discrédité l'Amour, et donné à certains l'audace de dire qu'il est honteux de céder à un amant. Si l'on dit cela, c'est qu'on observe le manque de tact et d'honnêteté de ces amants-là, alors que nul acte au monde ne mérite d'être blâmé quand la convenance et la loi sont respectées.

Diversité des mœurs, en ce qui concerne l'Amour

"Allons plus loin : la règle de conduite, en ce qui concerne l'Amour, est facile à saisir dans les autres cités, car sa définition est simple. Chez nous, en revanche, elle est compliquée. En Elide, chez les Béotiens et là où il n'y a pas de savants parleurs, la règle admise est simple : il est bien de céder aux amants, et personne, jeune ou vieux, ne dirait que c'est honteux. Le but, je crois, est d'éviter l'embarras d'avoir à convaincre les jeunes gens par la parole, étant donné qu'on ne sait pas parler. En Ionie au contraire et en bien d'autres endroits, la règle veut que ce soit laid : tous ces pays-là sont dominés par les Barbares. Chez les Barbares, en effet, à cause des régimes tyranniques, cela est jugé honteux, ainsi du reste que l'amour du savoir et de l'exercice physique. Sans doute ne convient-il pas aux maîtres que de hautes pensées naissent chez leurs sujets, non plus que des amitiés et des sociétés solides comme justement l'Amour, plus que tout au monde, se plaît à en former. Les tyrans de chez nous en ont fait l'expérience : l'amour d'Aristogiton, et l'amitié d'Harmodios, sentiment solide, détruisirent leur domination. Ainsi, là où l'on tient pour honteux de céder à un amant, la coutume se fonde sur le défaut moral de ses auteurs : désir de domination chez les maîtres, et lâcheté chez les sujets. Mais là où la règle a tout simplement admis que c'est beau, la chose s'explique par la paresse d'esprit de ses auteurs.

Pausanias : le cas d'Athènes est complexe

"Or, chez nous, la règle est beaucoup plus belle et, comme je l'ai dit, elle n'est pas facile à comprendre. Qu'on réfléchisse, en effet : il est plus beau, dit-on, d'aimer ouvertement que secrètement, et il l'est surtout d'aimer les jeunes gens de la meilleure race et de plus haut mérite, fussent-ils moins beaux que d'autres ; de plus, celui qui aime est extraordinairement encouragé par tout le monde, comme s'il ne faisait rien de honteux : le succès l'honore, l'échec est sa honte ; et dans les entreprises de conquête la règle accorde des éloges à l'amant pour des extravagances qui exposeraient aux blâmes les plus sévères quiconque oserait se conduire de la sorte en poursuivant et en cherchant à réaliser toute autre fin. Supposons en effet qu'il veuille obtenir de l'argent de quelqu'un, qu'il veuille exercer une magistrature, ou quelque fonction importante : s'il acceptait de faire ce que font les amants pour leurs bien-aimés, c'est-à-dire d'appuyer sa demande par des prières et des supplications, de prononcer des serments, d'aller coucher aux portes, de s'abaisser volontairement à une forme d'esclavage dont aucun esclave ne voudrait, il serait empêché de se conduire ainsi à la fois par ses amis et par ses ennemis : les uns lui reprocheraient ses flatteries et ses bassesses, les autres le raisonneraient et rougiraient pour lui. Or c'est une grâce de plus, pour l'amoureux, que de faire tout cela, et notre règle exempte ces pratiques de tout reproche, comme s'il réalisait là quelque chose de purement admirable. Et le plus étonnant, selon le dicton populaire, c'est que lui seul peut jurer, et obtenir grâce devant les dieux s'il trahit son serment : devant Aphrodite, à ce qu'on dit, nul serment n'engage. Ainsi les dieux et les hommes donnent à l'amoureux une liberté totale, comme le proclame la règle de chez nous. Cela conduit à penser que la règle, dans notre cité, juge parfaitement beaux et l'amour, et l'amitié qui récompense les amants. Mais quand, d'autre part, les pères mettent sous la surveillance des pédagogues les garçons qu'on aime, pour les empêcher de parler à leurs amants – et telle est bien la consigne du pédagogue ; quand les jeunes gens de leur âge, leurs camarades, leur font des reproches s'ils constatent quelque chose de cet ordre ; quand les personnes plus âgées ne s'opposent pas à ces critiques et ne les blâment point comme déplacées, alors si l'on considère tout cela, on peut croire, inversement, que cette sorte d'amour passe chez nous pour infamante.

Le vrai problème et les vraies règles selon Pausanias

"Or voici, je crois, ce qu'il en est. La chose n'a rien de simple, comme je l'ai dit au début : elle n'est en elle-même ni belle ni laide. Elle est belle si la pratique en est belle, et laide si la pratique est laide. La manière laide, c'est de céder à un homme mauvais, et pour de mauvais motifs : la belle c'est de le faire pour un homme de valeur et pour de beaux motifs. Or celui qui est mauvais, c'est celui que j'ai dit, l'amant populaire, qui aime le corps plus que l'âme. Il n'a même pas de constance, puisque l'objet de son amour n'a pas de constance non plus. Sitôt que disparaît la beauté du corps qu'il aimait, *il s'envole et disparaît*, et trahit sans vergogne tant de belles paroles et de promesses. Mais qui aime le caractère pour ses hautes qualités reste fidèle toute la vie, car il se fond avec quelque chose de constant. Ces hommes-là, notre règle veut les soumettre à une épreuve sérieuse et honnête, pour qu'on cède aux uns, et qu'on fuie les autres. Aussi encourage-t-elle les uns à poursuivre et les autres à fuir, créant des épreuves qui permettent de reconnaître à quelle espèce appartient l'amant, à quelle espèce appartient l'aimé. Là-dessus se fonde évidemment cette première maxime, qu'il est honteux de se rendre vite : on veut qu'il se passe du temps, car cette épreuve-là, semble-t-il, est généralement sûre. La seconde maxime, c'est qu'il est honteux de se rendre à cause de l'argent ou de la puissance politique, soit qu'on tremble devant de mauvais traitements et qu'on ne puisse y résister, soit qu'on ne dédaigne pas les avantages de la fortune ou le succès politique : rien de tout cela ne paraît solide ni stable, et d'ailleurs il n'en peut non plus sortir aucune amitié généreuse.

"Il ne reste donc, selon notre règle, qu'une voie honnête qui permette à l'aimé de céder à l'amant. Chez nous en effet la règle est la suivante : de même que dans le cas des amants il n'y avait nulle flatterie à se faire les esclaves consentants, sous quelque forme d'esclavage que ce fût, de leurs bien-aimés, et nul risque d'en être blâmés, de même il reste une seule autre forme d'esclavage volontaire qui échappe au blâme : celle qui a la vertu pour objet. En effet notre règle est que si l'on accepte d'être au service d'un autre en pensant devenir meilleur, grâce à lui, dans telle forme de savoir ou dans telle autre partie, quelle qu'elle soit, de la vertu, cet esclavage accepté n'a rien de laid, et n'est pas non plus flatterie. Il faut donc réunir en une seule ces deux règles, celle qui concerne l'amour des garçons, et celle qui concerne l'amour du savoir ou toute autre forme de vertu, s'il doit résulter un bien du fait que l'aimé cède à l'amant. En effet, quand les voies de l'amant et de l'aimé se rencontrent, quand ils ont ensemble pour règle, le premier de rendre à l'aimé qui lui a cédé tous les services compatibles avec la justice, le second d'accorder à l'homme qui cherche à le faire sage et bon toutes les formes d'assistance compatibles avec la justice, l'un pouvant contribuer à donner l'intelligence et toute forme de vertu, l'autre ayant besoin de gagner en éducation et d'une manière générale en savoir, alors, en vérité, quand ces règles convergent, et dans ce cas-là seulement, cette coïncidence fait qu'il est beau pour l'aimé de céder à l'amant – autrement, cela est exclu. Dans cette situation, même si l'on est complètement dupe, cela n'est pas honteux, mais dans tout autre cas, dupe ou non, l'on se déshonore. En effet si quelqu'un, cédant pour s'enrichir à un amant qu'il croit riche, est dupe et n'obtient point d'argent, car son amant se révèle pauvre, l'affaire n'en est pas moins honteuse. Un tel homme, semble-t-il, montre le fond de son âme : pour de l'argent il est prêt à toutes les complaisances envers le premier venu, et cela n'est point beau. Selon le même raisonnement si l'on cède à quelqu'un en croyant qu'il est plein de qualités et qu'on deviendra meilleur par l'affection de cet amant, et si ensuite on se trouve dupé en s'apercevant qu'il est mauvais et dépourvu de vertu, cette duperie est encore honorable. Car ici encore, semble-t-il, on révèle ce qu'on a dans le cœur, on montre que la vertu et le progrès moral sont les objets, en tout et pour tout, de l'effort passionné – et cela est plus beau que tout. Ainsi donc il est parfaitement beau de céder, quand c'est pour la vertu. Cet Amour-là relève de l'Aphrodite Céleste, il est céleste lui-même, et précieux pour la cité comme pour les individus, car il exige de l'amant et de son bien-aimé qu'ils veillent avec soin sur eux-mêmes quand ils veulent se rendre vertueux. Quant aux autres, ils relèvent tous de l'autre déesse, la Populaire.

"Voilà, mon cher Phèdre : je n'ai fait qu'improviser ; telle est la contribution que je t'apporte, au sujet de l'Amour."

Le hoquet d'Aristophane. L'ordre fixé ne peut être suivi

« Après la pause de Pausanias – je dois ce genre d'allitération à l'enseignement des experts – le tour d'Aristophane, disait Aristodème, était venu. Mais le hasard voulut que, soit pour avoir trop mangé, soit pour quelque autre raison, le hoquet le prît et l'empêchât de parler. Il dit à Eryximaque, le médecin, qui occupait la place au-dessous de la sienne :

"Il faut, Eryximaque, ou que tu arrêtes mon hoquet, ou que tu parles à ma place avant que je l'aie moi-même arrêté. – Eh bien, répondit Eryximaque, je ferai l'un et l'autre. Je vais, moi, parler à ta place ; et toi tu parleras à la mienne quand ton hoquet aura pris fin. Pendant que je parlerai, si tu retiens ton souffle assez longtemps, ton hoquet se décidera bien à s'arrêter. Sinon, gargarise-toi avec de l'eau. Et si ton hoquet est tout à fait tenace, prends quelque chose pour te gratter le nez, et éternue. Quand tu l'auras fait une ou deux fois, si tenace que soit ton hoquet, il s'arrêtera. – Dépêche-toi donc de parler, dit Aristophane, moi je vais faire ce que tu dis."

Discours d'Eryximaque

« Alors Eryximaque prit la parole. "Il me paraît nécessaire, puisque Pausanias après avoir bien commencé n'a pas complètement répondu aux exigences du sujet, d'essayer pour ma part de compléter ce qu'il a dit. La distinction qu'il fait de deux amours me semble excellente. Mais elle ne concerne pas seulement les âmes des hommes, dans leur rapport avec les beaux garçons ; elle existe aussi, dans leur rapport avec bien d'autres objets, et dans les autres êtres, que ce soit dans le corps de tous les animaux ou dans les plantes que nourrit la terre, en un mot dans toutes les créatures : la médecine – notre art – me permet semble-t-il cette observation. Elle fait voir que c'est un grand dieu, un dieu admirable, et dont l'action s'étend à tout, autant dans l'ordre humain que dans l'ordre divin.

29

"Je commencerai par la médecine, pour faire honneur à mon art. La nature des corps comporte ce double amour. Ce qui est sain dans le corps et ce qui est malade sont, chacun l'admet, choses distinctes et dissemblables. Or le dissemblable aime et désire des choses dissemblables : l'amour inhérent à la partie saine est donc différent de l'amour inhérent à la partie malade. Dès lors, tout comme Pausanias disait à l'instant qu'il est beau d'accorder ses faveurs aux hommes qui le méritent, et laid de céder aux débauchés, ainsi, quand il s'agit des corps eux-mêmes, favoriser ce qu'il y a de bon et de sain dans chacun est beau et nécessaire, et c'est cela qu'on appelle la médecine, tandis qu'il faut refuser de favoriser ce qui est mauvais et malsain, si l'on veut suivre les règles du métier. Car la médecine, pour la définir en un mot, est la science des phénomènes amoureux propres au corps, dans leur rapport avec la réplétion et l'évacuation, et celui qui dans ces phénomènes sait diagnostiquer le bon et le mauvais amour est le mieux fait pour être médecin. Et celui qui opère des changements grâce auxquels on acquiert un amour à la place d'un autre et qui, dans les corps où l'amour n'est pas mais devrait être, sait le faire naître et sait l'ôter quand il s'y trouve, celui-là connaît sans doute bien son travail. Il doit en effet être capable d'établir l'amitié et l'amour mutuel entre éléments du corps qui se haïssent le plus. Or, les éléments qui se haïssent le plus sont les plus contraires : le froid et le chaud, l'amer et le doux, le sec et l'humide, et toutes choses analogues. C'est pour avoir su mettre l'amour et la concorde entre ces éléments que notre ancêtre Asclépios, à ce que disent nos poètes – et je les en crois –, a fondé notre art[1].

Amour et musique

"La médecine est donc, comme je le dis, tout entière gouvernée par ce dieu. Il en est de même pour la gymnastique et pour l'agriculture. Quant à la musique, cela est bien évident pour n'importe qui même sans grand effort de réflexion, elle est dans le même cas. C'est sans doute ce que veut dire Héraclite, encore que son expression ne soit pas heureuse. Il déclare en effet que l'unité, *en s'opposant à elle-même, se compose, comme l'harmonie de l'arc et de la lyre.* Or il est très illogique d'affirmer que l'harmonie consiste en une opposition ou qu'elle se forme d'éléments qui s'opposent encore. Mais il voulait peut-être qu'à partir d'une opposition première, entre l'aigu et le grave, les deux éléments se mettent d'accord par la suite, et l'harmonie se réalise grâce à la musique. Car si vraiment l'aigu et le grave s'opposaient encore, on voit mal comment il y aurait harmonie. L'harmonie, en effet, est une consonance, et une consonance est une sorte d'accord. Or l'accord d'éléments opposés, tant qu'ils demeurent opposés, est impossible, et d'un autre côté l'on ne peut faire une harmonie avec ce qui s'oppose et ne s'accorde pas : de la même façon le rythme naît du rapide et du lent, c'est-à-dire d'élé-

1. Asclépios, fils d'Apollon et de la nymphe Coronis, était le dieu guérisseur d'Epidaure. Les Asclépiades formaient à Cos, île natale d'Hippocrate, une confrérie de médecins.

ments d'abord opposés qui s'accordent par la suite. Et de même que c'était tout à l'heure la médecine, à présent c'est la musique qui introduit l'accord entre tous ces éléments, en créant l'amour mutuel et la concorde. Et la musique est elle aussi, dans l'ordre de l'harmonie et du rythme, une science des phénomènes de l'amour. Et si dans la constitution même de l'harmonie et du rythme les phénomènes de l'amour sont facilement discernés, le double amour, lui, n'y est pas. Mais quand il faut, à l'usage des hommes, mettre en œuvre le rythme et l'harmonie, soit en composant (c'est ce qu'on appelle composition lyrique) soit en se servant comme il faut de ces compositions à la fois mélodiques et métriques (c'est ce qu'on nomme éducation artistique), alors la chose devient difficile et l'on a besoin d'un homme de métier qui soit habile. On voit en effet revenir ici le même argument : s'il faut céder, ce doit être aux hommes de mœurs bien réglées, et pour s'améliorer quand on n'a pas encore les mêmes qualités ; l'amour de ces hommes-là doit être sauvegardé, et c'est le bel Amour, l'Amour céleste, celui de la Muse Uranie. L'autre est celui de Polymnie, l'Amour Populaire, qu'il faut offrir avec prudence à qui l'on vient à l'offrir, de manière à en cueillir le plaisir sans provoquer aucun dérèglement ; de même dans notre art c'est une grande affaire que de bien user des désirs en rapport avec l'art culinaire, de manière à en cueillir le plaisir sans se rendre malade. Ainsi donc en musique, en médecine, dans tout ordre des choses divines ou humaines, il faut sauvegarder dans la mesure du possible l'un et l'autre amour, puisqu'ils s'y trouvent tous deux.

Amour et astronomie

"Car l'ordonnance des saisons de l'année est elle aussi pleine de ces deux amours, et quand les éléments dont je parlais tout à l'heure – le chaud et le froid, le sec et l'humide – rencontrent dans leurs rapports mutuels l'amour bien réglé, et s'harmonisent et se combinent dans une juste mesure, ils viennent apporter l'abondance et la santé aux hommes, aux autres animaux, aux plantes, sans causer aucun dommage. Mais quand l'amour qui s'accompagne de démesure prévaut en ce qui concerne les saisons de l'année, il gâte bien des choses, et leur cause grand dommage. Les pestes en effet proviennent ordinairement de tels phénomènes, et aussi les maladies les plus variées, qui s'attaquent aux bêtes et aux plantes : gelée, grêle, nielle du blé, proviennent du désir insatiable et du dérèglement dans les relations propres à de tels phénomènes, qui sont de l'ordre de l'amour. Il est une science de cela, qui traite du mouvement des astres en même temps que des saisons de l'année ; elle s'appelle astronomie.

Amour et divination

"Ajoutez encore que tous les sacrifices et tout ce qui est du ressort de la divination (c'est-à-dire ce qui fait communiquer les dieux et les hommes) n'ont d'autre but que de sauvegarder l'amour et le guérir. Toute impiété vient ordinairement de ne pas céder à l'amour bien réglé, de ne pas l'honorer, lui, le révérer en toute action, mais d'honorer l'autre amour, dans les rapports soit avec les parents vivants ou morts, soit avec les dieux. Telle est la tâche assignée à la divination : surveiller ceux qui aiment et les guérir. Et c'est elle encore, la divination, qui est ouvrière d'amitié entre les dieux et les hommes, parce qu'elle connaît, dans l'ordre humain, ceux des phénomènes d'amour qui tendent au respect des dieux et à la piété.

"Telle est la multiple, l'immense ou plutôt l'universelle puissance que rassemble l'Amour dans son universalité. Et celui qui travaille, avec modération et avec justice, à produire des œuvres bonnes, soit chez nous, soit chez les dieux, détient la plus grande puissance : il nous procure tout bonheur, et nous rend capables de vivre en société, de lier amitié les uns avec les autres et même avec ces êtres qui nous sont supérieurs, les dieux. Moi aussi, sans doute, dans mon éloge de l'Amour, je laisse de côté bien des choses, mais c'est involontaire. Si j'ai oublié quelque point, c'est à toi, Aristophane, de combler cette lacune. Ou bien, si tu te proposes de louer le dieu d'une autre façon, fais-le, puisque aussi bien ton hoquet s'est arrêté."

Aristophane guéri de son hoquet va pouvoir parler

« Alors, disait Aristodème, Aristophane prit la parole : "Le fait est qu'il s'est arrêté, mais il a fallu d'abord lui appliquer son remède – en éternuant. Aussi j'admire que le bon ordre de mon corps ait besoin de bruits et de chatouillements, dans le genre de l'éternuement : de fait mon hoquet a pris fin sitôt appliqué le remède, en éternuant. – Aristophane, mon bon, prends garde ! dit Eryximaque. Tu fais rire au moment où tu vas parler, et tu m'obliges à surveiller tes paroles, pour le cas où tu dirais quelque chose de risible, quand tu pourrais parler en toute tranquillité." Aristophane se mit à rire : "Tu as raison, Eryximaque, dit-il. Mettons que je n'aie rien dit. Mais ne me surveille pas. Dans le discours que je vais tenir, je crains de dire non point des choses qui fassent rire – car ce serait un avantage, et ma Muse y trouverait son terrain familier – mais des choses ridicules. – Ainsi, répondit l'autre, une fois lancé le trait tu crois, Aristophane, que tu vas m'échapper ? Fais attention, plutôt, et parle comme un homme qui devra rendre des comptes. Peut-être, il est vrai, t'en ferai-je grâce, s'il me semble bon.

Discours d'Aristophane : éloge d'un dieu ami des hommes

"– Bien sûr, Eryximaque, dit Aristophane, j'ai l'intention de parler autrement que toi et que Pausanias. Il me semble en effet que les hommes ne se rendent absolument pas compte de la puissance de l'Amour. Car s'ils s'en rendaient compte ils lui auraient élevé les temples et les autels les plus magnifiques et ils lui offriraient les plus magnifiques sacrifices. Ce ne serait pas comme aujourd'hui : aucun de ces hommages ne lui est rendu, et pourtant rien ne s'imposerait davantage. C'est en effet le dieu le plus ami des hommes : il vient à leur secours, il apporte ses remèdes aux maux dont la guérison est peut-être, pour les humains, le plus grand bonheur. Je vais donc essayer de vous exposer sa puissance, et vous en instruirez les autres à votre tour.

"Mais d'abord il vous faut connaître la nature humaine et les épreuves qui l'ont affectée. Au temps jadis notre nature n'était pas la même qu'à présent, elle était très différente. D'abord il y avait chez les humains trois genres, et non pas deux comme aujourd'hui, le mâle et la femelle. Il en existait un troisième, qui tenait des deux autres ; le nom s'en est conservé de nos jours, mais le genre, lui, a disparu ; en ce temps-là, en effet, existait l'androgyne, genre distinct, qui pour la forme et pour le nom tenait des deux autres, à la fois du mâle et de la femelle. Aujourd'hui il n'existe plus, ce n'est plus qu'un nom déshonorant.

Individus de forme ronde

"Ensuite, la forme de chaque homme constituait un tout, avec un dos arrondi et des flancs bombés. Ils avaient quatre mains, le même nombre de jambes, deux visages tout à fait pareils sur un cou parfaitement rond ; leur tête, au-dessus de ces deux visages situés à l'opposé l'un de l'autre, était unique ; ils avaient aussi quatre oreilles, deux organes de la génération, et le reste à l'avenant, autant qu'on peut l'imaginer. Ils se déplaçaient ou bien en ligne droite, comme à présent, dans le sens qu'ils voulaient ; ou bien quand ils se mettaient à courir rapidement, ils opéraient comme les acrobates qui exécutent une culbute et font la roue en ramenant leurs jambes en position droite : ayant huit membres qui leur servaient de point d'appui, ils avançaient rapidement en faisant la roue. La raison pour laquelle il y avait trois genres, et conformés de la sorte, c'est que le mâle tirait son origine du soleil, la femelle de la terre, et le genre qui participait aux deux de la lune, étant donné que la lune elle aussi participe des deux autres. Circulaire était leur forme et aussi leur démarche, du fait qu'ils ressemblaient à leurs parents. De là leur force terrible, et leur vigueur, et leur orgueil immense.

Ils s'attaquèrent aux dieux, et ce que raconte Homère au sujet d'Ephialte et d'Otos concerne les hommes de ce temps-là : ils tentèrent d'escalader le ciel, pour combattre les dieux.

Zeus se défend contre les hommes en les coupant en deux

"Alors Zeus et les autres dieux se demandèrent quel parti prendre : ils étaient bien embarrassés. Ils ne pouvaient en effet les tuer, et détruire leur espèce en les foudroyant comme les Géants, car c'était perdre complètement les honneurs et les offrandes qui leur venaient des hommes ; mais ils ne pouvaient non plus tolérer leur insolence. Après avoir laborieusement réfléchi, Zeus parla : "Je crois, dit-il, tenir un moyen pour qu'il puisse y avoir des hommes et que pourtant ils renoncent à leur indiscipline : c'est de les rendre plus faibles. Je vais maintenant, dit-il, couper par moitié chacun d'eux. Ils seront ainsi plus faibles, et en même temps ils nous rapporteront davantage, puisque leur nombre aura grandi. Ils marcheront droits sur leurs jambes, mais s'ils se montrent encore insolents et ne veulent pas anquilles, je les couperai en deux une fois de plus, et dès lors ils marcheront sur une seule jambe, à cloche-pied." Ayant ainsi parlé, il coupa les hommes en deux, comme on coupe les cormes pour les mettre en conserve, ou comme on coupe les œufs avec un crin[1]. Quand il en avait coupé un, il demandait à Apollon de lui retourner le visage et la moitié du cou, du côté de la coupure, pour que l'homme, ayant sous les yeux la coupure qu'il avait subie, fût plus modeste, et il lui demandait de guérir le reste. Apollon retournait alors le visage et, ramenant de toutes parts la peau sur ce qui s'appelle à présent le ventre, comme on fait avec les bourses à cordons, il l'attachait fortement au milieu du ventre en ne laissant qu'une ouverture – ce qu'on appelle le nombril. Puis il effaçait la plupart des plis qui subsistaient, il modelait exactement la poitrine avec un outil pareil à celui qu'emploient les cordonniers pour aplanir sur la forme les plis du cuir. Il laissa pourtant quelques plis, ceux qui se trouvent dans la région du ventre et du nombril, comme souvenir du traitement subi jadis.

Les moitiés séparées cherchent à se rejoindre

Quand donc l'être primitif eut été dédoublé par cette coupure, chacun, regrettant sa moitié, tentait de la rejoindre. S'embrassant, s'enlaçant l'un à l'autre, désirant ne former qu'un seul être, ils mouraient de faim, et d'inaction aussi, parce qu'ils ne voulaient rien faire l'un sans l'autre. Et quand une

1. « Couper un œuf (dur) avec un crin » était peut-être une expression proverbiale. Mais l'allusion est peu claire.

38

des moitiés était morte et que l'autre survivait, la moitié survivante en cherchait une autre et s'enlaçait à elle – qu'elle rencontrât la moitié d'une femme entière, c'est-à-dire ce qu'aujourd'hui nous appelons une femme, ou la moitié d'un homme. Ainsi l'espèce s'éteignait. Mais Zeus, pris de pitié, s'avise d'un autre expédient : il transporte sur le devant leurs organes de la génération. Jusqu'alors en effet ils les avaient sur leur face extérieure, et ils engendraient et enfantaient non point en s'unissant mais dans la terre comme les cigales. Il transporta donc ces organes à la place où nous les voyons, sur le devant, et fit que par ce moyen les hommes engendrèrent les uns dans les autres, c'est-à-dire par l'organe mâle, dans la femelle. Son but était le suivant : dans l'accouplement, si un homme rencontrait une femme, ils auraient un enfant et l'espèce se reproduirait ; mais si un mâle rencontrait un mâle, ils trouveraient au moins une satiété dans leurs rapports, ils se calmeraient et ils se tourneraient vers l'action, et pourvoiraient aux autres besoins de leur existence. C'est évidemment de ce temps lointain que date l'amour inné des hommes les uns pour les autres, celui qui rassemble des parties de notre nature ancienne, qui de deux êtres essaye d'en faire un seul, et de guérir la nature humaine.

Les variétés actuelles de l'amour s'expliquent par la forme primitive de l'homme

"Chacun d'entre nous est donc une fraction d'être humain dont il existe le complément, puisque cet être a été coupé comme on coupe les soles, et s'est dédoublé. Chacun, bien entendu, est en quête perpétuelle de son complément. Dans ces conditions, ceux des hommes qui sont une part de ce composé des deux sexes qu'on appelait alors androgyne, sont amoureux des femmes, et c'est de là que viennent la plupart des hommes adultères ; de la même façon, les femmes qui aiment les hommes et qui sont adultères, proviennent de cette espèce ; quant à celles des femmes qui sont une part de femme, elles ne prêtent aucune attention aux hommes, leur inclination les porte plutôt vers les femmes, et c'est de cette espèce que viennent les petites amies des dames. Ceux qui sont une part de mâle recherchent les mâles et, tant qu'ils sont enfants, comme ils sont de petites tranches du mâle primitif, ils aiment les hommes, prennent plaisir à coucher avec eux, à être dans leurs bras. Ce sont les meilleurs des enfants et des jeunes gens, parce qu'ils sont les plus virils de nature. Certains disent, bien sûr, qu'ils sont impudiques, mais c'est faux. Car ils n'agissent pas ainsi par impudicité : non, c'est leur hardiesse, leur virilité, leur air mâle, qui les fait chérir ce qui leur ressemble. En voici une bonne preuve : quand ils sont complètement formés, les garçons de cette espèce sont les seuls à se montrer des hommes, en s'occupant de politique. Devenus des hommes, ils aiment les garçons ; le mariage et la paternité ne les intéressent guère – c'est leur nature ; la loi seulement les y contraint, mais il leur suffit de passer leur vie côte à côte, en célibataires. En un mot l'homme ainsi fait aime les garçons et chérit les amants, car il s'attache toujours à l'espèce dont il fait partie.

"Quand donc l'amoureux des garçons, ou tout

autre homme rencontre l'être qui est précisément la moitié de lui-même, une émotion extraordinaire les saisit, effet de l'amitié, de l'affinité, de l'amour, et ils refusent d'être, si l'on peut dire, détachés l'un de l'autre, ne fût-ce qu'un moment. Et ces êtres, qui passent toute leur vie l'un avec l'autre sont des gens qui ne sauraient même pas dire ce qu'ils attendent l'un de l'autre ; nul ne peut croire en effet que ce soit la jouissance amoureuse, et se figurer que telle est la raison de leur joie et de leur grand empressement à vivre côte à côte. C'est autre chose, évidemment, que veut l'âme de chacun, une chose qu'elle ne peut exprimer, mais elle devine ce qu'elle veut et le laisse obscurément entendre. Et si, tandis qu'ils sont couchés ensemble, Héphaistos se dressait devant eux avec ses outils et leur demandait : "Hommes, que voulez-vous l'un de l'autre ?" et si, les voyant embarrassés, il demandait encore : "Votre désir n'est-il pas de vous identifier l'un à l'autre autant qu'il est possible, de manière à ne vous quitter ni la nuit ni le jour ? Si tel est votre désir, je veux bien vous fondre ensemble et vous souder l'un à l'autre au souffle de ma forge, en sorte que de deux vous ne fassiez qu'un seul et que toute votre vie vous viviez tous deux comme si vous n'étiez qu'un, et qu'après votre mort, là-bas, chez Hadès, vous ne soyez pas deux, mais un seul, dans une mort commune. Voyez : est-ce à cela que vous aspirez ? et ce sort vous satisfait-il ?" A ces paroles aucun d'eux, nous le savons, ne dirait non, et ne montrerait qu'il veut autre chose. Il penserait tout simplement qu'il vient d'entendre exprimer ce que depuis longtemps sans doute il désirait : se réunir et se fondre avec l'être aimé, au lieu de deux n'être qu'un seul.

"La raison en est que notre nature originelle était comme je l'ai dit, et que nous formions un tout : le désir de ce tout et sa recherche a le nom d'amour. Auparavant, comme je l'affirme, nous étions un. Mais maintenant, pour nos fautes, nous avons été séparés d'avec nous-mêmes par le dieu, tout comme les Arcadiens l'ont été par les Lacédémoniens. Nous devons donc craindre, si nous ne respectons pas nos devoirs à l'égard des dieux, d'être une fois de plus fendus par le milieu, et de nous promener pareils aux personnages qu'on voit figurés de profil en bas-relief sur les stèles, coupés en deux selon la ligne du nez, et semblables à des moitiés de jetons. Voilà pourquoi l'on doit exhorter tout homme à la piété, en toute chose, à l'égard des dieux, afin que nous échappions à un état et que nous parvenions à l'autre, comme le veut l'Amour, notre guide et notre chef. A lui, que personne ne s'oppose – et c'est s'opposer à lui que de se rendre haïssable aux dieux. Car si nous devenons les amis de ce dieu, si nous faisons notre paix avec lui, nous découvrirons et nous rencontrerons les bien-aimés qui nous appartiennent en propre, ce que peu de gens à présent réalisent. Qu'Eryximaque ne s'en prenne pas à moi, et ne tourne pas en dérision mes paroles, sous prétexte que je parle de Pausanias et d'Agathon : ils sont probablement de ce nombre, et tous deux sont de nature mâle. Je parle, moi, des hommes et des femmes dans leur ensemble, et je déclare que notre espèce peut être heureuse si nous menons l'amour à son terme et si chacun de nous rencontre le bien-aimé qui est le sien, retrouvant ainsi sa nature première. Si tel est l'état le plus parfait, il s'ensuit forcément que, dans le présent, ce qui s'en rapproche le plus est aussi la chose la plus parfaite, et c'est la rencontre d'un bien-aimé selon notre âme.

"Nos hymnes au dieu qui nous vaut ces biens doivent être en toute justice des hymnes à l'Amour, qui dans le présent nous rend les plus grands services en nous conduisant vers ce qui nous est propre, et qui pour l'avenir nous ouvre les plus grandes espérances : il nous promet, si nous sommes pieux envers les dieux, de nous rétablir dans notre nature première, de nous guérir, de nous donner le bonheur et la félicité.

Intermède. Début d'une discussion entre Socrate et Agathon

"Voilà, dit-il, Eryximaque, mon discours sur l'Amour : il diffère du tien. Comme je te l'ai demandé, ne le tourne pas en dérision. Ecoutons plutôt ce que va dire chacun de ceux qui restent, ou mieux chacun des deux qui restent, Agathon et Socrate."

« Eryximaque, disait Aristodème, répondit : "Eh bien, je t'obéirai, car ton discours m'a beaucoup plu, et si je ne savais fort bien que Socrate et Agathon sont de grands maîtres en amour, je craindrais bien qu'ils soient en peine de parler, quand tant de choses, et si diverses, ont été dites ; mais avec eux j'ai confiance."

« Socrate dit alors : "Tu as bien tenu ta partie dans ce concours, Eryximaque. Mais si tu étais maintenant à ma place, ou plutôt à celle où je serai quand Agathon, lui aussi, aura fait un beau discours, tu aurais grand peur, et tu serais très embarrassé, comme je le suis en ce moment. – Tu veux me jeter un sort, Socrate, dit Agathon, pour que je me trouble à l'idée que notre public est dans une grande attente, comme si j'allais faire un beau discours. – Je serais bien oublieux, Agathon, répondit Socrate, moi qui t'ai vu bravement et hardiment monter sur l'estrade avec tes acteurs, et regarder en face un si vaste public au moment de présenter une œuvre de toi, sans être ému le moins du monde, si je croyais à présent que tu vas être troublé devant nous, qui sommes peu nombreux. – Comment, Socrate ? dit Agathon. Tu ne me crois pas, j'espère, assez entiché de théâtre pour ignorer qu'aux yeux d'un homme de bon sens quelques personnes intelligentes sont plus à craindre qu'une foule d'ignorants. – Ce serait bien mal de ma part, mon cher Agathon, dit Socrate, de te supposer quelque manque de goût. Je sais, au contraire, que si tu trouves des gens que tu crois sages, tu leur accorderas plus d'importance qu'à la foule. Seulement, je crains que nous ne soyons pas ces gens-là. Car nous étions présents, nous aussi, là-bas, nous faisions partie de la foule. Mais si tu trouvais d'autres gens, des sages ceux-là, tu aurais honte sans doute, devant eux, si tu pouvais croire que tu fais quelque chose de honteux. Qu'en dis-tu ? – C'est vrai, répondit-il. – Mais devant la foule, tu n'aurais pas honte, si tu croyais faire quelque chose de honteux ?"

« Phèdre, ici, prit la parole, et dit : "Mon cher Agathon, si tu réponds à Socrate, peu lui importera que l'entretien présent tourne d'une manière ou d'une autre, pourvu qu'il ait un interlocuteur, surtout si c'est un beau garçon. J'ai, pour ma part, grand plaisir à écouter Socrate quand il discute, mais je suis obligé de veiller à l'éloge dédié à l'Amour, et de recueillir le tribut de chacun d'entre vous : son discours. Acquittez-vous tous deux envers le dieu, ensuite vous pourrez discuter.

Discours d'Agathon

– Tu as raison, Phèdre, dit Agathon, et rien ne m'empêche de parler, car j'aurai encore bien des occasions, dans l'avenir, de m'entretenir avec Socrate.

"Je veux dire, d'abord, comment je dois régler mon dire – et dire ensuite seulement. Tous ceux qui ont déjà parlé n'ont pas, me semble-t-il, fait l'éloge du dieu. Ils ont félicité les hommes des biens qu'ils lui doivent, mais ce qu'il est au juste lui-même, pour leur avoir fait ces présents, personne ne l'a dit. Or, la seule méthode correcte, dans tout éloge, et sur tout sujet, est d'expliquer la nature de l'objet dont on parle et la nature de ce dont il est responsable. C'est ainsi que nous devons procéder nous aussi dans l'éloge de l'Amour : en montrant d'abord sa nature, et ensuite les dons qu'il nous fait.

La nature de l'Amour

"Je déclare donc que de tous les dieux, qui sont heureux, l'Amour (s'il est permis de le dire sans éveiller leur jalousie) est le plus heureux, car il est le plus beau et le meilleur. Il est le plus beau, car voici sa nature. D'abord il est, mon cher Phèdre, le plus jeune des dieux. Une grande preuve, à l'appui de ce que je dis, est fournie par lui-même : c'est de quelle fuite il fuit la vieillesse, laquelle est rapide, on le sait, et vient à nous en tout cas plus vite qu'il ne faudrait. L'Amour, c'est clair, la hait naturellement, et ne l'approche pas, même de loin. Mais il est toujours en compagnie de la jeunesse, il reste près d'elle. Le vieux dicton est juste : "Qui se ressemble s'assemble." Je suis souvent d'accord avec Phèdre, mais je ne lui accorde pas que l'amour soit plus ancien que Cronos et que Japet[1]. Je déclare, au contraire, qu'il est le plus jeune des dieux, qu'il est toujours jeune, et que les vieilles querelles des dieux, dont parlent Hésiode et Parménide, sont filles de la Nécessité mais non point de l'Amour, si ces poètes ont dit vrai. Car ils ne se seraient pas, entre dieux, mutilés, jetés dans les fers, ils n'auraient pas accumulé les violences, si l'Amour avait été parmi eux. Ils auraient connu, au contraire, l'amitié et la paix comme à présent, depuis le temps où sur les dieux l'Amour étend son règne.

"Donc, l'Amour est jeune, et pas seulement jeune : il est délicat. Mais il lui manque un poète, un Homère, pour faire bien voir sa délicatesse. Homère dit d'Até à la fois qu'elle est déesse et qu'elle est délicate ; ses pieds du moins sont délicats. Il déclare :

1. Façon convenue de désigner les temps les plus anciens. Cronos et Japet sont des Titans, fils d'Ouranos – le Ciel, et de Gè (la Terre).

ses pieds sont délicats, et sans fouler le sol, elle
avance en marchant sur les têtes des hommes[1].

Bel indice, à mes yeux, de sa délicatesse : la déesse
ne pose pas le pied sur ce qui est dur, mais sur ce
qui est tendre. Nous utiliserons donc nous aussi le
même indice à propos de l'Amour, pour affirmer
qu'il est délicat : il ne marche pas sur la terre, ni
sur des crânes, ce qui n'est pas tout à fait tendre,
mais il marche et il habite dans ce qui est le plus
tendre au monde. C'est en effet dans les cœurs et
dans les âmes des dieux et des hommes qu'il établit
sa demeure. Encore n'est-ce point, sans distinction,
dans toutes les âmes. S'il en rencontre une qui ait
un caractère dur, il s'écarte d'elle, mais il vient rési-
der dans celle qui est douce. Il est toujours en
contact, des pieds et de tout l'être, avec ce qui de
toutes les choses tendres est le plus tendre, aussi
est-il doué de la plus grande délicatesse, nécessairement.

"Ainsi donc, l'Amour est le plus jeune et le plus
délicat des êtres. Ajoutez-y la flexibilité de sa forme,
car il ne pourrait se faire partout enveloppant, ni
passer inaperçu quand d'abord il entre dans toute
âme, et puis quand il en sort, s'il était dur. De l'harmonie, de la souplesse propres à sa nature, sa grâce
donne une preuve éclatante, cette grâce que
l'Amour possède au suprême degré de l'aveu général, car entre un aspect disgracieux et l'Amour,
l'hostilité mutuelle est de tout temps. La beauté de
son teint s'explique : c'est un dieu qui vit au milieu
des fleurs. Ce qui ne fleurit pas, ce qui a passé fleur,

1. Até est la déesse qui cause l'erreur, l'égarement, dans le cœur
des humains.

que ce soit corps, âme, ou toute autre chose, l'Amour ne vient point s'y poser ; mais là où les fleurs et les parfums abondent, il se pose, il demeure.

"Sur la beauté du dieu, voilà qui suffit, même s'il reste encore beaucoup à dire. Il me faut maintenant parler de la vertu de l'Amour.

"Voilà le plus important : l'Amour ne cause ni n'endure d'injustice, il ne fait tort à personne, homme ou dieu, il n'en subit de personne, homme ou dieu. La violence n'a aucune part à ce qu'il subit, s'il subit quelque chose, car la violence n'atteint pas l'Amour ; elle n'en a pas non plus à ce qu'il fait, quand il agit, car tous, et en tout, se mettent de bon gré aux ordres de l'Amour. Or les accords qui se font de bon gré sont déclarés justes par les *Lois, reines de la cité*.

"Après la justice, la tempérance la plus grande est son lot. On admet en effet que la tempérance consiste à dominer plaisirs et désirs. Or il n'est pas de plaisir plus fort que l'Amour : si les plaisirs inférieurs sont dominés par l'Amour, et s'il les domine, puisqu'il domine plaisirs et désirs, l'Amour doit être, au suprême degré, tempérant.

"Quant au courage, *Arès même ne peut lutter contre l'Amour*. Ce n'est pas Arès, en effet, qui s'empare de l'Amour, c'est l'Amour qui s'empare d'Arès, l'amour d'Aphrodite à ce qu'on dit. Or celui qui s'empare est plus fort que celui dont il s'empare, et celui qui l'emporte sur le plus courageux qui soit doit être, de tous, le plus courageux.

Ainsi donc j'ai parlé de la justice, de la tempérance, du courage du dieu. Reste sa science : dans la mesure de mes forces je dois donc n'être pas en reste. Tout d'abord, car je veux à mon tour honorer l'art qui est le nôtre comme Eryximaque le sien, je dirai que le dieu est poète si savant qu'il rend poètes les autres à leur tour. Tout homme en effet devient poète, *même s'il a été auparavant étranger à la Muse*, quand l'Amour l'a touché. Ce fait, il est clair, doit nous servir de preuve que l'Amour est en général un créateur habile, dans tout ordre de création qui ressortit aux Muses. Car ce que l'on n'a point, ou que l'on ne sait pas, on ne peut le donner ni l'enseigner à un autre. Mieux encore, dans la création des êtres vivants, de tous, qui osera nier que l'Amour possède une Science grâce à laquelle naît et grandit tout ce qui vit ? Voyons d'autre part la pratique des arts : ne savons-nous pas que l'homme dont ce dieu a été le maître devient célèbre et illustre, quand celui que l'Amour n'a pas touché reste obscur ? C'est certain : le tir à l'arc, la médecine, la divination, sont des trouvailles qu'Apollon doit au désir et à l'amour qui le menaient ; ainsi ce dieu se trouverait être un disciple de l'Amour, comme les Muses le seraient dans l'art qui porte leur nom, Héphaïstos dans le travail du métal, Athéna dans le tissage, et Zeus enfin, *dans le gouvernement des dieux et dans celui des hommes*. Ainsi se sont réglés les différends des dieux, quand l'Amour fut apparu parmi eux, l'amour de la beauté, bien sûr, car il ne s'attache pas à la laideur. Or, avant cela, comme je l'ai dit en commençant, toutes sortes de choses horribles se passaient chez les dieux, d'après la légende, car c'était le règne de la Nécessité. Mais quand ce dieu-là fut né, de l'amour des belles choses sortirent tous les biens, pour les dieux comme pour les hommes.

"Voilà me semble-t-il, mon cher Phèdre, pourquoi l'Amour, premier pourvu lui-même, au plus haut degré, de beauté et de bonté, est ensuite, pour le reste des êtres, la cause des divers biens de cet ordre. Il me vient à l'esprit de le dire en vers : c'est lui qui produit

La paix chez les humains, le calme sur les mers ;
Pas de souffle, vents couchés, et la peine s'endort.

D'inimitié c'est lui qui nous vide, et d'amitié c'est lui qui nous emplit ; de toutes réunions, comme celle qui nous assemble, il est le fondateur ; dans les fêtes, dans les chœurs, dans les sacrifices, il se fait notre guide ; apportant la douceur, écartant la rigueur, libéral en bienveillance, illibéral en malveillance, propice aux bons, contemplé des sages, admiré des dieux, il est envié de qui s'en voit privé, précieux à qui s'en voit comblé. Luxe, Délicatesse, Volupté, les Grâces, la Passion, le Désir, sont ses enfants. Soucieux des bons, insoucieux des méchants, dans la peine, dans la crainte, dans le désir, dans le discours, il est à la barre, il est prêt au combat. C'est notre soutien, c'est notre sauveur par excellence. De tous les dieux, de tous les hommes, il est l'honneur ; c'est le guide le plus beau, le meilleur, et tout homme doit le suivre, célébrer sa gloire en de beaux hymnes, et tenir sa partie dans ce chant dont il enchante l'esprit et de tous les dieux et de tous les hommes.

"Voilà, dit-il, mon discours, cher Phèdre : qu'il soit mon offrande au dieu. La fantaisie et le sérieux y ont chacun leur part, que j'ai mesurée aussi bien qu'il est en mon pouvoir. »

Socrate embarrassé d'avoir à parler après Agathon

« Quand Agathon eut fini de parler, toute l'assistance, me dit Aristodème, acclama le jeune homme, pour s'être exprimé d'une façon digne de lui-même et du dieu. Alors Socrate se tournant vers Eryximaque, lui dit : "Crois-tu, fils d'Acoumène, que j'ai craint, tout à l'heure, sans raison de craindre ? N'ai-je pas, plutôt, parlé à l'instant de façon prophétique, quand j'annonçais qu'Agathon s'exprimerait admirablement, et que je serais, moi, dans l'embarras ? – Sur le premier point, répondit Eryximaque, tu as été bon prophète je crois, en disant qu'Agathon parlerait bien. Mais que tu doives être embarrassé, je ne le pense pas. – Et comment éviterais-je, bienheureux Eryximaque, repartit Socrate, d'être embarrassé, moi ou tout autre aussi bien qui devrait parler après un discours d'une telle beauté, d'une telle variété ? Tout n'y est pas admirable au même degré sans doute ; mais, dans la péroraison, qui n'aurait été frappé de la beauté des mots et des phrases ? Pour ma part en effet, je me reconnaissais incapable de rien dire dont la beauté approchât de cela, et pour un peu je me serais enfui, de honte, si j'avais pu le faire. Ce discours, en effet, me rappelait Gorgias, au point d'éprouver exactement ce dont parle Homère : je craignais qu'Agathon, à la fin de son discours, n'envoyât sur le mien la tête de Gorgias, le terrible orateur, et ne me transformât en pierre, en me rendant muet.

"Alors j'ai compris que j'étais ridicule quand je vous promettais de faire à mon tour, en votre compagnie, l'éloge de l'Amour, et quand je disais que j'étais grand expert en amour : en fait je n'entendais rien à la manière dont il faut louer quoi que ce soit. Je croyais en effet, dans mon ignorance grossière, qu'on devait dire la vérité sur chaque objet dont on fait l'éloge, que cela servait de base, et que parmi ces vérités elles-mêmes il fallait choisir les plus belles et les disposer dans l'ordre le plus convenable. Et j'étais, naturellement, tout fier à la pensée que j'allais bien parler : ne connaissais-je pas la vraie manière de faire l'éloge de quoi que ce soit ? Mais ce n'était point, selon toute apparence, la bonne méthode de faire l'éloge de quoi que ce soit : il faut plutôt attribuer à l'objet les plus grandes et les plus belles qualités possibles, qu'il les ait ou non, et quand même ce serait faux, cela n'aurait pas d'importance. Nous avons en effet admis d'avance, à ce qu'il paraît, que chacun de nous aurait l'air de louer l'Amour, et non pas qu'il le louerait en réalité. Voilà pourquoi, je pense, vous remuez ciel et terre pour attribuer à l'Amour toutes choses, et proclamer l'excellence de sa nature comme la grandeur de ses bienfaits : vous voulez ainsi le faire paraître le plus beau et le meilleur possible – aux ignorants il va sans dire, mais pas à ceux qui savent. Et certes, c'est une belle chose, et imposante, que cet éloge. Mais moi j'ignorais évidemment cette façon de louer, et comme je l'ignorais, je me suis engagé devant vous à prononcer moi-même un éloge, à mon tour :

Ma langue l'a promis, mais nullement mon cœur.

Adieu donc ma promesse ! Je ne veux plus louer de cette façon, j'en serais incapable. Pourtant, à condition de m'en tenir à la vérité, j'accepte, si vous le désirez, de prendre la parole, à ma manière et sans rivaliser avec votre éloquence, car je ne veux pas m'exposer au ridicule. Vois donc, Phèdre, si tu as encore besoin d'un discours de ce genre, qui fasse entendre la vérité sur l'Amour, mais avec les mots et les tournures qui me viendront au petit bonheur. »

Deuxième partie : La conception philosophique de l'Amour

« Alors, disait Aristodème, Phèdre et les autres le prièrent de parler comme il croyait devoir le faire. "Encore un moment, Phèdre, dit Socrate : Laisse-moi poser quelques petites questions à Agathon, pour que je me mette bien d'accord avec lui avant de commencer mon discours. – Je te laisse faire, dit Phèdre : interroge-le. »

Discussion préalable entre Socrate et Agathon

« Après cela, disait Aristodème, Socrate débuta à peu près en ces termes : "En vérité, mon cher Agathon, tu as bien ouvert la voie, je crois, en déclarant qu'il fallait d'abord montrer quelle est la nature de l'Amour, et ensuite comment il agit : je trouve ce début excellent. Mais allons plus loin, je te prie ; après tout ce que tu as dit de beau et de magnifique sur l'Amour, sur ce qu'il est par nature, réponds encore à cette question : "Est-il dans la nature de l'Amour d'être amour de quelque chose, ou de rien ?" Je ne te demande pas s'il est amour à l'égard d'une mère, ou d'un père, car il serait risible de demander si l'Amour est un amour qui s'adresse à une mère ou à un père. Mais si, à propos du Père en tant que père, je demandais : "Le Père est-il père de quelqu'un, ou non ?", tu me dirais sans doute, si tu voulais faire une bonne réponse, que le Père est père d'un fils, ou d'une fille, n'est-ce pas ? – Bien sûr, dit Agathon. – Ne dirais-tu pas la même chose de la Mère ? Agathon en convint encore. "Réponds encore, dit Socrate, à quelques questions de plus, pour mieux comprendre où je veux en venir. Si je demandais : "Voyons, le Frère, en tant qu'il est frère, est-il frère de quelqu'un ou non ?" Il répondit qu'il l'était. "Donc il est frère d'un frère ou d'une sœur ?" Il fut d'accord. "Essaie alors, reprit Socrate, d'appliquer la même question à l'Amour : l'Amour est-il amour de rien, ou de quelque chose ? – De quelque chose, évidemment.

– Eh bien, c'est cela, dit Socrate, que tu dois retenir : rappelle-toi bien ce dont il est amour. Mais dis-moi seulement si l'Amour désire, ou non, ce dont il est amour. – Il le désire assurément, dit-il. – Quand il possède ce qu'il désire, est-ce alors qu'il l'aime et le désire, ou quand il ne le possède pas ? – Quand il ne le possède pas : cela du moins est vraisemblable, dit-il. – Examine donc, dit Socrate, si, au lieu d'être vraisemblable, il n'est pas nécessaire qu'il désire ce qui lui manque, ou qu'il ne le désire pas parce qu'il ne lui manque pas ? Pour moi, mon cher Agathon, cela me semble nécessaire à un point étonnant. Et toi, qu'en penses-tu ? – Je suis du même avis, dit-il. – Tu as raison. Donc, un homme qui est grand ne saurait vouloir être grand ? Ni être fort s'il est fort ? – C'est impossible, d'après ce que nous avons admis. – Il ne saurait en effet, en aucune façon, manquer de ces qualités, puisqu'il les a. – C'est vrai. – Supposons en effet, dit Socrate, qu'un homme fort veuille être fort ; un homme agile, être agile ; un homme en bonne santé, être en bonne santé ; quelqu'un croirait peut-être, en ce qui concerne ces qualités et toutes celles du même ordre, que les hommes qui sont tels, et qui ont ces qualités, désirent encore ce qu'ils possèdent déjà. C'est pour nous défendre contre cette erreur que je m'exprime comme je le fais. Si tu considères, Agathon, le cas de ces gens-là, il est nécessaire qu'ils aient, au moment présent, chacune des qualités qu'ils ont, qu'ils le veuillent ou non : comment, en vérité, pourrait-on désirer précisément ce qu'on a ? Mais si quelqu'un nous disait : "Moi qui suis en bonne santé, je veux aussi être en bonne santé ; moi qui suis riche, je veux aussi être riche, et je désire cela même que je possède", nous lui répondrions : "Toi, tu as la richesse, la santé, la force, et tu veux encore les avoir à toi dans l'avenir ; car, pour le moment présent, que tu le veuilles ou non, tu les as. Vois donc, quand tu dis : Je désire ce que j'ai à présent, si ces paroles ne signifient pas simplement : ce que j'ai à présent, je veux l'avoir aussi dans l'avenir. Il en serait d'accord, n'est-ce pas ?" Agathon, disait Aristodème, le reconnut, et Socrate poursuivit : "Dans ces conditions, aimer les choses dont on ne dispose pas encore, que l'on ne possède pas, n'est-ce pas souhaiter que dans l'avenir ces choses-là nous soient conservées, et présentes ? – Assurément, dit-il. – Aussi, l'homme qui est dans ce cas, et quiconque éprouve un désir, désire ce dont il ne dispose pas et qui n'est pas présent. Et ce qu'il n'a pas, ce qu'il n'est pas lui-même, ce dont il manque, voilà les objets de son désir et de son amour. – Assurément, dit-il.

– Avançons donc, dit Socrate. Récapitulons les points sur lesquels nous sommes d'accord. N'est-il pas vrai que l'Amour, premièrement, s'adresse à certains objets, ensuite qu'il s'adresse à ceux dont il éprouve le manque ? – Si, dit-il. – Souviens-toi donc maintenant de quels objets, dans ton discours, il est amour. Si tu veux, je vais te le rappeler moi-même : tu nous disais, je crois, à peu près, que les dieux avaient réglé leurs différends grâce à l'amour du beau, car il ne peut y avoir d'amour du laid. Ce sont à peu près tes paroles, n'est-ce pas ? – Oui, c'est bien cela, dit Agathon. – Tu réponds exactement ce qu'il faut, camarade, dit Socrate, et s'il en est comme tu le déclares, l'Amour ne devrait-il pas être amour de la beauté, et non point de la laideur ?" Agathon en fut d'accord. "N'avons-nous pas admis qu'il aime ce dont il manque, et qu'il ne possède pas ? – Si, dit-il. – L'Amour manque donc de beauté, et n'en possède pas ? – Forcément, dit-il. – Mais quoi ? Ce qui manque de beauté et ne possède en aucune façon la beauté, est-ce que toi tu l'appelles beau ? – Non point. – Dès lors, es-tu encore d'avis que l'Amour est beau, s'il en est ainsi ? – Je risque fort, dit Agathon, d'avoir parlé sans savoir ce que je disais. – Pourtant ce que tu as dit était très beau, Agathon. Mais encore une petite question : les choses bonnes ne sont-elles pas en même temps belles, selon toi ? – Elles le sont, à mon avis. – Alors, si l'Amour manque de ce qui est beau et si les choses bonnes sont belles, il doit manquer aussi de ce qui est bon. – Pour moi, Socrate, dit Agathon, je ne suis pas de taille à te contredire : qu'il en soit comme tu dis. – Non, aimable Agathon, dit Socrate, c'est la vérité que tu ne peux contredire ; Socrate, lui, on peut le contredire aisément."

Socrate rapporte son entretien avec Diotime

"Je vais maintenant te laisser la paix. Et voici le discours sur l'Amour que j'entendis un jour de la bouche d'une femme de Mantinée, Diotime, qui était savante en ce domaine comme en beaucoup d'autres. C'est elle qui jadis, avant la peste [1], fit faire aux Athéniens les sacrifices qui écartèrent pour dix ans le fléau. Et c'est elle justement qui m'a instruit des choses de l'Amour... Je vais essayer de vous rapporter les paroles qu'elle me tenait, en partant des conventions acceptées par Agathon et par moi, c'est-à-dire avec mes seuls moyens, et comme je pourrai. Il faut, comme tu l'as toi-même exposé, Agathon, que j'explique d'abord la nature de l'Amour, ses attributs, et ensuite ses œuvres. Le plus facile, me semble-t-il, est de suivre dans mon exposé l'ordre que suivait jadis l'étrangère, dans l'examen qu'elle me faisait subir. Car je lui répondais à peu près comme Agathon me répond à présent : je déclarais que l'Amour était un grand dieu, et qu'il était amour du beau. Et elle me prouvait mon erreur par les mêmes raisons dont je me suis servi en discutant

1. Epidémie de 430, au début de la guerre du Péloponnèse.

avec Agathon : elle disait que l'Amour n'était ni beau, selon mon propre langage, ni bon."

Diotime : l'Amour est un être intermédiaire

"Je lui répliquai : "Que dis-tu, Diotime ? Dans ce cas l'Amour est laid, et mauvais ? – Pas de blasphème ! dit-elle. Crois-tu que ce qui n'est pas beau doive être forcément laid ? – Bien sûr ! – Et que, de même, ce qui n'est pas savant doive être ignorant ? N'as-tu pas saisi qu'il y a un milieu entre science et ignorance ? – Lequel ? – Avoir une opinion droite sans être à même d'en rendre raison. Ne sais-tu pas, dit-elle, que ce n'est ni savoir (car une chose dont on n'est pas à même de rendre raison comment pourrait-elle être une science ?) ni ignorance (car ce qui atteint par hasard le réel peut-il être une ignorance ?). L'opinion droite est bien, je suppose, semblable à ce que je dis : un milieu entre la pensée juste et l'ignorance. – Tu dis vrai, répondis-je. – Ne force donc pas ce qui n'est pas beau à être laid, et ce qui n'est pas bon à être mauvais. Il en est de même pour l'Amour : puisque tu conviens toi-même qu'il n'est ni bon ni beau, tu n'as pas à croire davantage qu'il est nécessairement laid et mauvais, mais qu'il est, me disait-elle, un milieu entre les deux.

– Pourtant, repris-je, tout le monde convient que l'Amour est un grand dieu. – Est-ce des ignorants que tu parles, en disant 'tout le monde' ? ou des savants aussi ? – Je parle de tous à la fois." Elle se mit à rire : "Comment, Socrate, dit-elle, serait-il reconnu comme un grand dieu par ceux qui affirment qu'il n'est même pas un dieu ? – Qui sont ces gens-là ? dis-je. – Toi d'abord, dit-elle. Et moi ensuite." Je répliquai : "Que dis-tu là ? – C'est tout simple, répondit-elle. Dis-moi : n'affirmes-tu pas que tous les dieux sont heureux et beaux ? ou oserais-tu soutenir que tel d'entre les dieux n'est ni beau ni heureux ? – Je n'oserais pas, par Zeus, répondis-je. – Or les heureux, à t'entendre, sont bien ceux, n'est-ce pas ? qui possèdent les bonnes et les belles choses ? – C'est bien cela. – Pourtant tu as reconnu que l'Amour, manquant des bonnes et des belles choses, a le désir de ces choses mêmes dont il manque. – Je l'ai reconnu. – Comment dès lors pourrait-il être un dieu, lui qui n'a part ni aux belles ni aux bonnes choses ? – C'est impossible, apparemment. – Tu vois, dit-elle, toi-même tu ne tiens pas l'Amour pour un dieu. – Que serait donc l'Amour ? dis-je. Un mortel ? – Nullement. – Alors quoi ?

Diotime : l'Amour est un « démon »

– Comme dans les exemples précédents, dit-elle, il est un intermédiaire entre le mortel et l'immortel. – Que veux-tu dire, Diotime ? – C'est un grand démon, Socrate. En effet tout ce qui a le caractère du démon est un intermédiaire entre le mortel et l'immortel. – Et quel en est, demandai-je, le pouvoir ? – Il traduit et transmet aux dieux ce qui vient des hommes, et aux hommes ce qui vient des dieux : d'un côté les prières et les sacrifices, de l'autre les ordres et la rétribution des sacrifices, et comme il est à mi-chemin des uns et des autres, il contribue à remplir l'intervalle, de manière que le Tout soit lié à lui-même. De lui procède tout l'art divinatoire, l'art des prêtres en ce qui concerne les sacrifices, les initiations, les incantations, tout ce qui est divination et sorcellerie. Le dieu ne se mêle pas aux hommes, mais, grâce à ce démon, de toutes les manières les dieux entrent en rapport avec les hommes, leur parlent, soit dans la veille soit dans le sommeil. L'homme savant en ces choses est un être démoniaque, tandis que l'homme savant dans un autre domaine – art, métier manuel – n'est qu'un ouvrier. Ces démons sont nombreux et de toute sorte : l'un d'eux est l'Amour.

Le mythe de la naissance de l'Amour

"– De quel père, dis-je, est-il né, et de quelle mère ? – C'est un peu long à raconter, me dit-elle. Je te le dirai pourtant. Le jour où naquit Aphrodite, les dieux étaient au festin. Avec eux tous il y avait le fils de *Mètis*, *Poros*[1]. Après le dîner, *Pénia*[2] était venue mendier, ce qui est naturel un jour de bombance, et elle se tenait près de la porte. *Poros* qui s'était enivré de nectar (car le vin n'existait pas encore) entra dans le jardin de Zeus, et tout alourdi s'endormit. *Pénia*, dans sa pénurie, eut l'idée d'avoir un enfant de *Poros* : elle se coucha près de lui, et fut enceinte de l'Amour. Voilà pourquoi l'Amour est devenu le compagnon d'Aphrodite et son serviteur ; engendré lors des fêtes de la naissance de celle-ci,

1. *Poros*, c'est d'abord le « passage », toujours voie maritime ou fluviale, jamais terrestre. Mais le sens figuré (« ressource », « moyen efficace ») est fréquent. Il explique les jeux de mots qui suivent.
2. *Mètis* (« Prudence », ou « Sagesse ») personnifie souvent l'intelligence pratique, la maîtrise artisanale. *Pénia* est « Pauvreté ».

il est naturellement amoureux du beau – et Aphrodite est belle.

La double origine de l'Amour explique sa nature

"Etant donc fils de *Poros* et de *Pénia*, l'Amour se trouve dans la condition que voici : d'abord, il est toujours pauvre, et loin d'être délicat et beau comme le croient la plupart, il est rude au contraire, il est dur, il va pieds nus, il est sans gîte, il couche toujours par terre, sur la dure, il dort à la belle étoile près des portes et sur les chemins, car il tient de sa mère, et le besoin l'accompagne toujours. D'autre part, à l'exemple de son père, il est à l'affût de ce qui est beau et de ce qui est bon, il est viril, résolu, ardent, c'est un chasseur de premier ordre, il ne cesse d'inventer des ruses ; il est désireux du savoir et sait trouver les passages qui y mènent, il emploie à philosopher tout le temps de sa vie, il est merveilleux sorcier, et magicien, et sophiste. Ajoutons qu'il n'est, par nature, ni immortel ni mortel. Dans la même journée tantôt il fleurit et il vit, tantôt il meurt ; puis il revit quand passent en lui les ressources qu'il doit à la nature de son père, mais ce qui passe en lui sans cesse lui échappe ; aussi l'Amour n'est-il jamais ni dans l'indigence ni dans l'opulence.

L'Amour tend à la possession éternelle du Bien

"D'autre part il se tient entre le savoir et l'ignorance, et voici ce qu'il en est : aucun dieu ne s'occupe à philosopher et ne désire devenir savant, car il l'est. Et d'une manière générale si l'on est savant on ne philosophe pas ; mais les ignorants eux non plus ne philosophent pas, et ne désirent pas devenir savants. C'est là justement ce qu'il y a de fâcheux dans l'ignorance : on n'est ni beau, ni bon, ni intelligent, et pourtant on croit l'être assez. On ne désire pas une chose quand on ne croit pas qu'elle vous manque. – Qui sont donc, Diotime, demandai-je, ceux qui philosophent, s'ils ne sont ni les savants ni les ignorants ? – C'est très clair, dit-elle ; même un enfant le verrait dès maintenant : ceux qui se trouvent entre les deux, et l'Amour doit en faire partie. La science, en effet, compte parmi les choses les plus belles ; or l'Amour est amour du beau ; il est donc nécessaire que l'Amour soit philosophe et, comme il est philosophe, qu'il tienne le milieu entre le savant et l'ignorant. La cause de cela même est dans son origine, car il est né d'un père savant et plein de ressources, et d'une mère dépourvue de science comme de ressources. Telle est, mon cher Socrate, la nature de ce démon. Mais l'idée que tu t'étais faite de l'Amour n'avait rien de surprenant. Ton idée, autant que tes paroles me permettent de le conjecturer, est que l'Amour est l'aimé, et non ce qui aime. Pour cette raison, sans doute, il te paraissait doué de toutes les beautés. Et de fait ce qui est aimable, c'est ce qui est réellement beau, délicat, parfait, digne de toute félicité. Mais l'essence de ce qui aime est différente : je viens de t'exposer ce qu'elle est."

« Je repris : "Eh bien, soit, étrangère : tu as raison. Mais si telle est la nature de l'Amour, à quoi sert-il aux hommes ? – Justement, Socrate, je vais à présent essayer de te l'apprendre. L'Amour a donc un tel caractère et une telle origine : il est amour des choses belles, comme tu le déclares. Or, si l'on nous demandait : "Qu'est-ce que l'amour des choses belles ?" ou plus clairement : "Celui qui aime les choses belles, aime : qu'est-ce qu'il aime ?" – Qu'elles lui appartiennent, répondis-je. – Cette réponse, dit-elle, appelle encore une question, que voici : "Qu'arrivera-t-il à l'homme qui possédera les choses belles ?" Je déclarai que je n'étais guère capable de répondre sur-le-champ à cette question. – Eh bien, dit-elle, supposons qu'on remplace beau par bon et qu'on te demande : "Voyons, Socrate, celui qui aime les choses bonnes, aime : qu'est-ce qu'il aime ?" – Qu'elles lui appartiennent, dis-je. – Qu'arrivera-t-il à l'homme qui possède les choses bonnes ? – Ici je puis répondre plus facilement, dis-je : il sera heureux. – En effet, dit-elle, la possession des choses bonnes fait le bonheur des gens heureux, et l'on n'a plus besoin de demander : "Que veut celui qui veut être heureux ?" Nous touchons au terme, semble-t-il, avec cette réponse. – C'est vrai, dis-je.

– Mais cette volonté, cet amour, les crois-tu communs à tous les hommes ? Tous veulent-ils toujours posséder ce qui est bon ? ou quel est ton avis ? – Il en est bien ainsi : cette volonté est commune à tous. – Mais alors, Socrate, reprit-elle, pourquoi ne disons-nous pas, de tous les hommes, qu'ils aiment, s'il est vrai qu'ils aiment tous et toujours les mêmes choses ? pourquoi disons-nous au contraire que les uns aiment et que les autres n'aiment pas ? – Cela m'étonne moi aussi, répliquai-je. – Eh bien, dit-elle, ne t'en étonne point. Car nous avons mis à part une certaine forme de l'amour, nous lui donnons un nom, et le nom que nous lui attribuons est celui du tout, "amour". Pour les autres formes, nous employons d'autres noms. – Dans quel cas, par exemple ? demandai-je. – Dans le cas que voici. Tu sais que l'idée de création, de *poésie*, est très vaste. En effet la cause du passage du non-être à l'être, dans quelque cas que ce soit, c'est la *poésie* ; aussi les ouvrages des arts, dans tous les domaines, sont des *poésies*, et les artisans qui les exécutent sont tous des *poètes*. – C'est vrai. – Pourtant, dit-elle, tu sais qu'on ne les appelle pas *poètes*, mais qu'ils portent d'autres noms. De la *poésie* dans son ensemble on a détaché une partie, celle qui se rapporte à la musique et à la métrique, et on lui donne le nom du tout. Cette partie seulement se nomme *poésie*, et ceux dont elle est le domaine sont les *poètes*. – C'est vrai, dis-je. – Eh bien, il en est de même de l'amour. En général, tout désir de ce qui est bon, du bonheur, est pour tout le monde *le très puissant Amour, l'Amour perfide*. Mais les uns s'y adonnent de mille façons ; ils ont la passion de l'argent, des exercices du corps, du savoir, sans qu'on dise qu'ils aiment, qu'ils sont amoureux. Les autres, qui suivent la voie d'une certaine forme, unique, de l'Amour, qui s'y engagent à fond, gardent pour eux le nom qui s'applique au tout : amour, aimer, amoureux. – Tu as des chances de dire vrai, répondis-je. – Il y a bien aussi une théorie, dit-elle, selon laquelle chercher la moitié de soi-même, c'est aimer. Mais selon ma théorie à moi, il n'est d'amour ni de la moitié ni du tout, si l'objet, mon ami, n'est point bon de quelque manière, car les gens acceptent de se faire couper les pieds ou les mains quand ces parties d'eux-mêmes leur semblent mauvaises. Je ne crois pas en effet que chacun s'attache à ce qui lui appartient, à moins que soit appelé bon ce qui nous est propre, ce qui est à nous, et mauvais ce qui nous est étranger. Car les hommes n'aiment rien d'autre que ce qui est bon. N'est-ce pas ton avis ? – Si, bien sûr, par Zeus, répondis-je. – Alors, dit-elle, peut-on dire tout simplement que les hommes aiment ce qui est bon ? – Oui, dis-je. – Mais quoi ? Ne faut-il pas ajouter, reprit-elle, qu'ils aiment aussi posséder ce qui est bon ? – Il faut l'ajouter. – Et dès lors non pas seulement le posséder, dit-elle, mais le posséder toujours. – Il faut ajouter cela encore. – En somme, dit-elle, l'amour est le désir de posséder toujours ce qui est bon ? – C'est parfaitement vrai, dis-je.

– Puisqu'il est clair à présent, reprit-elle, que l'amour consiste toujours en cela, dis-moi sous quelle forme, et dans quel genre d'activité, l'ardeur, la tension extrême qui accompagne la poursuite de ce but, recevra le nom d'amour. De quelle sorte d'action s'agit-il ? Saurais-tu me le dire ? – Certainement pas, répondis-je. Si c'était le cas, je ne serais pas en admiration devant ton savoir ; je ne viendrais pas suivre tes leçons pour m'instruire précisément sur cela. – Alors, reprit-elle, je vais te le dire : il s'agit d'un enfantement dans la beauté, soit selon le corps soit selon l'âme. – Il faut être devin, dis-je, pour comprendre ce que tu veux dire, et je ne sais pas deviner. – Alors, dit-elle, je vais m'exprimer plus clairement. Tous les hommes, mon cher Socrate, sont féconds selon le corps et selon l'âme. Et quand nous avons atteint un certain âge, notre nature éprouve le désir d'engendrer, mais elle ne peut engendrer dans la laideur, elle ne le peut que dans la beauté. En effet, l'union de l'homme et de la femme est un enfantement, il y a dans cet acte quelque chose de divin. Et chez le vivant mortel c'est cela même qui est immortel : la fécondité et la procréation. Mais celles-ci ne peuvent avoir lieu dans la discordance ; or il y a discordance entre la laideur et tout le divin, tandis que le beau s'accorde avec lui. Donc, dans la procréation, la Beauté c'est la Parque et la Déesse de la naissance. Aussi, quand l'être fécond s'approche du beau, il sent une joie, et sous le charme il se dilate, et il enfante, et il procrée. Mais quand il s'approche du laid, il devient sombre et chagrin, il se contracte, il se détourne, il se replie sur soi, il ne procrée pas et, continuant de porter son fruit, il souffre. D'où, chez l'être fécond et déjà gonflé de sève, le transport violent qui le pousse vers la beauté, car celui qui possède cette beauté est délivré de la grande souffrance de l'enfantement. En effet l'Amour, ajouta-t-elle, n'est pas amour du beau, mon cher Socrate, comme tu l'imagines. – Et qu'est-il donc ? – Amour de la procréation et de l'enfantement dans le beau. – Admettons, dis-je. – C'est exactement cela, reprit-elle. Mais pourquoi de la procréation ? Parce que, pour un être mortel, éternité et immortalité sont dans la procréation. Or le désir d'immortalité accompagne nécessairement celui du bien, d'après ce dont nous sommes convenus, s'il est vrai que l'amour a pour objet de posséder à jamais le bien. Il s'ensuit nécessairement de ce que nous avons dit, que l'amour a aussi pour objet l'immortalité."

"Voilà tout ce qu'elle m'enseignait, quand elle parlait des choses de l'amour. Un jour elle me demanda : 'Quelle est, à ton avis, Socrate, la cause de cet amour et de ce désir ? Ne vois-tu pas dans quel étrange état sont tous les animaux, quand l'envie les prend de procréer ? Ceux qui marchent comme ceux qui volent, ils sont tous malades, l'amour les travaille, d'abord quand ils vont s'unir, puis quand le moment vient de nourrir leurs petits ; ils sont prêts à combattre pour les défendre, les plus faibles affrontant les plus forts, et à se sacrifier pour eux ; ils souffrent eux-mêmes les tortures de la faim pour parvenir à les nourrir et se dévouent de toute autre façon. Chez les hommes, dit-elle, on pourrait croire que cette conduite est l'effet du calcul. Mais chez les animaux, d'où vient que l'amour les met dans cet état ? Peux-tu me le dire ?' Je lui répondis encore une fois que je ne savais pas. Elle reprit alors : 'Ainsi, tu penses devenir un jour très fort sur les choses de l'amour sans avoir idée de cela ? – Mais, c'est bien pour cela, Diotime, je te l'ai justement dit tout à l'heure, que je m'adresse à toi, car je sais que j'ai besoin de maîtres. Alors, dis-moi la cause de tout cela, et de tout ce qui d'ailleurs touche à l'amour. – Si tu es convaincu, dit-elle, que l'objet naturel de l'amour est celui sur lequel nous sommes tombés d'accord plusieurs fois, tu n'as pas à t'étonner. Car sur ce point la nature mortelle suit encore le même principe, quand elle cherche, dans la mesure de ses moyens, à perpétuer son existence et à être immortelle. Or elle ne le peut qu'en engendrant, c'est-à-dire en laissant toujours un être nouveau qui prend la place de l'ancien. En effet, quand on déclare de chaque être vivant qu'il vit et qu'il est le même (par exemple, de l'enfance à la vieillesse, on dit qu'il reste le même), cet être en vérité n'a jamais en lui les mêmes choses et pourtant il est dit le même ; mais sans cesse il se renouvelle, tout en subissant certaines pertes dans ses cheveux, sa chair, ses os, son sang et tout son corps."

"Et cela n'est pas vrai seulement de son corps, mais aussi de son âme ; dispositions, caractères, opinions, désirs, plaisirs, chagrins, craintes, rien de tout cela n'est jamais le même dans chacun de nous ; il en est qui naissent, il en est qui meurent. Mais il y a beaucoup plus étrange encore ; non seulement certaines sciences naissent en nous tandis que d'autres disparaissent, et jusque dans le domaine des connaissances nous ne sommes jamais les mêmes, mais encore chaque connaissance en particulier subit le même sort. Car si l'on parle d'étudier, cela veut dire que la connaissance se retire de nous : l'oubli c'est en effet le départ, hors de nous, de la connaissance, et l'étude inversement, en créant un souvenir nouveau à la place de celui qui s'en va, conserve la connaissance, de façon qu'elle semble être la même. C'est ainsi que tout être mortel se conserve, non qu'il soit jamais exactement le même, comme l'être divin, mais du fait que ce qui se retire et vieillit laisse la place à un être neuf, qui ressemble à ce qu'il était lui-même. Voilà par quel moyen, Socrate, dit-elle, le mortel participe à l'immortalité, dans son corps et dans tout le reste ; pour l'immortel, il en est différemment. Ne t'étonne donc point que tout être fasse naturellement cas du rejeton qui vient de lui, car ce zèle et cet amour, inséparables de tout être, sont au service de l'immortalité."

« Ce langage me remplit d'étonnement, et je lui dis : "Eh, quoi ? sage Diotime, en est-il vraiment ainsi ?" Elle me répondit, du ton le plus doctoral : "Tu dois en être certain, Socrate. Car, chez les hommes, si tu veux bien observer l'ambition, tu t'étonneras sans doute de son absurdité, à moins de garder dans l'esprit mes paroles, et de penser à l'étrange état où les met le désir d'être célèbres, se donnant *à jamais une gloire immortelle*. Ils sont prêts, pour cela, à braver tous les dangers, plus encore que pour défendre leurs enfants. Ils sont prêts à dépenser leur fortune, à endurer toutes les peines, à donner leur vie. Penses-tu, en effet, dit-elle, qu'Alceste serait morte pour Admète, qu'Achille aurait suivi Patrocle dans la mort, que votre Codros serait allé au-devant de la mort pour conserver la royauté à ses enfants, s'ils n'avaient cru laisser de leur valeur l'immortel souvenir que nous gardons encore ? Tant s'en faut, dit-elle. C'est plutôt, à mon avis, pour immortaliser leur valeur, pour acquérir un renom glorieux de cette sorte, que tous les hommes font tout ce qu'ils font, et cela d'autant plus que leurs qualités sont plus hautes – car c'est l'immortalité qu'ils aiment."

"Alors, dit-elle, ceux qui ont la fécondité du corps se tournent de préférence vers les femmes : leur façon d'aimer, c'est de chercher en faisant des enfants à s'assurer personnellement – à ce qu'ils croient – l'immortalité, le souvenir d'eux-mêmes, et le bonheur *pour tout le temps de l'avenir*. Il y a ceux, aussi, qui ont la fécondité de l'âme, car chez certains, dit-elle, la fécondité est dans l'âme encore bien plus que dans le corps, pour les choses dont l'âme doit être féconde et qu'elle doit enfanter. Et cela, qu'est-ce donc ? La pensée, et toute autre forme d'excellence. C'est cela qu'engendrent tous les poètes et ceux des gens de métier qu'on appelle inventeurs. Mais la partie de loin la plus haute et la plus belle de la pensée, dit-elle, est celle qui touche l'ordonnance des cités et de tout ce qui s'administre : on l'appelle prudence et justice. Or quand un de ces hommes, dès ses jeunes années, a la fécondité de l'âme parce qu'il y a du dieu en lui, et quand, l'âge venu, il sent le désir d'enfanter, de procréer, il cherche lui aussi, je crois, de tous les côtés, le beau pour y procréer – car jamais il ne voudra procréer dans la laideur. Son affection va donc aux beaux corps plutôt qu'aux laids, par cela même qu'il est fécond et s'il y rencontre une âme belle, généreuse et bien née, il donne toute son affection à l'une et l'autre beauté : devant une telle personne, il sait sur-le-champ parler avec aisance de ce qui fait l'excellence, des devoirs et des occupations de l'homme de bien, et il entreprend de l'instruire. En effet, selon moi, par le contact avec la beauté, par sa présence assidue près d'elle, il enfante ce qu'il portait en lui depuis longtemps, il le procrée ; présent ou absent, sa pensée revient vers cet être, et il nourrit en commun avec lui ce qu'il a procréé. Aussi une communion bien plus intime que celle qui consiste à avoir ensemble des enfants, et une affection plus solide, s'établissent entre les êtres de cette nature. Plus beaux, en effet, et mieux assurés de l'immortalité, sont les enfants qui naissent de leur union. Tout homme acceptera sans doute d'avoir des enfants comme ceux-là plutôt que de forme humaine, en considérant Homère, Hésiode, et les autres grands poètes, et en voyant avec envie ces descendants qu'ils ont laissés, qui leur assurent l'immortalité de la gloire et du souvenir parce qu'ils sont immortels eux-mêmes ; ou encore, si tu veux, dit-elle, en se rappelant quels enfants Lycurgue a laissés dans Lacédémone pour le salut de Lacédémone et, on peut le dire, de la Grèce entière. Solon, aussi, est honoré chez vous, parce qu'il fut le père de vos lois, et dans bien d'autres pays, grecs et barbares, des hommes qui ont produit maintes œuvres admirables en donnant la vie à toute forme d'excellence. A ceux-là de tels enfants ont valu déjà bien des temples, mais les enfants de l'humaine génération n'en ont fait, jusqu'à présent, édifier à personne.

Les degrés de l'initiation à la Beauté

"Voilà sans doute, Socrate, dans l'ordre de l'amour, les vérités auxquelles tu peux être, toi aussi, initié. Mais la révélation suprême et la contemplation qui en sont le but quand on suit la bonne voie, je ne sais si elles seront à ta portée. Je vais parler pourtant, dit-elle, sans ménager mon zèle. Essaye de me suivre, toi-même, si tu en es capable.

"Il faut, dit-elle, que celui qui prend la bonne voie pour aller à ce but commence dès sa jeunesse à rechercher les beaux corps. En premier lieu, s'il est bien dirigé par celui qui le dirige, il n'aimera qu'un seul corps, et alors il enfantera de beaux discours ; puis il constatera que la beauté qui réside en un corps quelconque est sœur de la beauté d'un autre corps et que, si l'on doit chercher la beauté qui réside en la forme, il serait bien fou de ne pas tenir pour une et identique la beauté qui réside en tous les corps. Quand il aura compris cela, il deviendra amoureux de tous les beaux corps, et son violent amour d'un seul se relâchera : il le dédaignera, il le jugera sans valeur. Ensuite il estimera la beauté des âmes plus précieuse que celle des corps, en sorte qu'une personne dont l'âme a sa beauté sans que son charme physique ait rien d'éclatant, va suffire à son amour et à ses soins. Il enfantera des discours capables de rendre la jeunesse meilleure ; de là il sera nécessairement amené à considérer la beauté dans les actions et dans les lois, et à découvrir qu'elle est toujours semblable à elle-même, en sorte que la beauté du corps soit peu de chose à son jugement. Ensuite, des actions humaines il sera conduit aux sciences, pour en apercevoir la beauté et, les yeux fixés sur l'immense étendue qu'occupe le beau, cesser désormais de s'attacher comme le ferait un esclave à la beauté d'un jeune garçon, d'un homme, ou d'une seule action – et renoncer à l'esclavage qui l'avilit et lui fait dire des pauvretés. Qu'il se tourne au contraire vers l'océan du beau, qu'il le contemple, et il enfantera de beaux discours sans nombre, magnifiques, des pensées qui naîtront dans l'élan généreux de l'amour du savoir, jusqu'à ce qu'enfin, affermi et grandi, il porte les yeux vers une science unique, celle de la beauté dont je vais te parler.

La révélation de la Beauté

"Efforce-toi, dit-elle, de m'accorder toute l'attention dont tu es capable. L'homme guidé jusqu'à ce point sur le chemin de l'amour contemplera les belles choses dans leur succession et leur ordre exact ; il atteindra le terme suprême de l'amour et soudain il verra une certaine beauté qui par nature est merveilleuse, celle-là même, Socrate, qui était le but de tous ses efforts jusque-là, une beauté qui tout d'abord est éternelle, qui ne connaît ni la naissance ni la mort, ni la croissance ni le déclin, qui ensuite n'est pas belle par un côté et laide par un autre, qui n'est ni belle en ce temps-ci et laide en ce temps-là, ni belle sous tel rapport et laide sous tel autre, ni belle ici et laide ailleurs, en tant que belle pour certains et laide pour d'autres. Et cette beauté ne lui apparaîtra pas comme un visage, ni comme des mains ou rien d'autre qui appartienne au corps, ni non plus comme un discours ni comme une connaissance ; elle ne sera pas non plus située dans quelque chose d'extérieur, par exemple dans un être vivant, dans la terre, dans le ciel, ou dans n'importe quoi d'autre. Non, elle lui apparaîtra en elle-même et par elle-même, éternellement jointe à elle-même par l'unicité de sa forme, et toutes les autres choses qui sont belles participent de cette beauté de telle manière que la naissance ou la destruction des autres réalités ne l'accroît ni ne la diminue, elle, en rien, et ne produit aucun effet sur elle. Quand, à partir de ce qui est ici-bas, on s'élève grâce à l'amour bien compris des jeunes gens, et qu'on commence d'apercevoir cette beauté-là, on n'est pas loin de toucher au but. Suivre, en effet, la voie véritable de l'amour, ou y être conduit par un autre, c'est partir, pour commencer, des beautés de ce monde pour aller vers cette beauté-là, s'élever toujours, comme par échelons, en passant d'un seul beau corps à deux, puis de deux à tous, puis des beaux corps aux belles actions, puis des actions aux belles sciences, jusqu'à ce que des sciences on en vienne enfin à cette science qui n'est autre que la science du beau, pour connaître enfin la beauté en elle-même.

"Tel est dans la vie, mon cher Socrate, me dit l'Etrangère de Mantinée, le moment digne entre tous d'être vécu : celui où l'on contemple la beauté en elle-même. Si tu la vois un jour, elle te paraîtra sans rapport avec la richesse et la parure, avec les beaux enfants et les jeunes gens dont la vue te trouble à présent et te fait accepter, à toi et à bien d'autres, pourvu que vous voyiez vos bien-aimés et ne cessiez d'être en leur compagnie, de ne manger ni de boire, si la chose est possible, et de ne plus rien faire que les regarder et que rester près d'eux. Qu'éprouverait donc, à notre avis, un homme qui pourrait voir le beau en lui-même, simple, pur, sans mélange, étranger à l'infection des chairs humaines, des couleurs, de tout fatras mortel, et qui serait en mesure de contempler la beauté divine en elle-même, dans l'unicité de sa forme ? Crois-tu que la vie d'un homme soit banale, quand il a les yeux fixés là-haut, contemple cette beauté par le moyen qu'il faut, et vit en union avec elle ? Ne penses-tu pas, dit-elle, qu'alors seulement, quand il verra la beauté par l'organe qui la rend visible, il pourra enfanter non point des simulacres de vertu, car il ne s'attache pas à un simulacre, mais une vertu véritable, car il s'attache à la vérité ? Or, s'il enfante la vertu véritable et la nourrit, ne lui appartient-il pas d'être aimé des dieux et, entre tous les hommes, de devenir immortel ?"

"Voilà, Phèdre et vous tous qui m'écoutez, ce que

m'a dit Diotime. Elle m'a convaincu. Et comme elle m'a convaincu, je tente à mon tour de convaincre les autres que, pour donner à la nature humaine la possession de ce bien, on trouverait difficilement un meilleur auxiliaire que l'Amour. Aussi, je le déclare, tout homme doit honorer l'Amour ; j'honore moi-même ce qui relève de lui, je m'y adonne plus qu'à tout, et j'exhorte les autres à le faire. Maintenant et à jamais je loue la force de l'Amour, et sa vaillance, autant qu'il est en mon pouvoir. Voilà mon discours, Phèdre. Considère-le, si tu veux, comme un éloge de l'Amour, sinon donne-lui le nom qui te plaira."

Après le discours de Socrate

« Ainsi parla Socrate. Chacun le félicitait, et Aristophane essayait de placer un mot parce que Socrate en parlant avait fait allusion à un passage de son discours, quand soudain la porte de la cour fut heurtée à grand bruit : ce devaient être des fêtards, et l'on entendait la voix d'une joueuse de flûte. "Petits, dit Agathon, allez vite voir. Si c'est un de mes amis, invitez-le. Sinon, dites que nous sommes en train de boire, et qu'à présent nous commençons à dormir."

Troisième partie : Alcibiade. Entrée du personnage

« Un instant plus tard on entendit dans la cour la voix d'Alcibiade, complètement ivre et qui criait à tue-tête. Il demandait où était Agathon, il voulait être conduit auprès d'Agathon. On le conduit donc près des convives, soutenu par la joueuse de flûte et quelques-uns de ses compagnons ; il s'arrête sur le seuil, portant une sorte de couronne touffue de lierre et de violettes, et la tête couverte d'un tas de bandelettes : "Messieurs, dit-il, bonsoir ! Accepterez-vous un homme complètement ivre, pour boire avec vous ? ou devrons-nous partir en nous bornant à couronner Agathon, pour qui nous sommes venus tout exprès ? Hier, en effet, dit-il, je n'ai pu être présent. J'arrive maintenant avec ces bandelettes sur la tête, pour les faire passer de ma tête à moi sur la tête de l'homme le plus savant et le plus beau – si cette expression m'est permise – et l'en couronner. Allez-vous rire de moi parce que je suis ivre ? Riez si vous voulez, moi je sais en tout cas que je dis la vérité. Répondez-moi tout de suite. Je vous ai dit mes conditions : dois-je entrer, oui ou non ? Voulez-vous, oui ou non, boire avec moi ?" Tout le monde l'acclame, on lui dit d'entrer et de prendre place.

« Agathon l'appelle ; il se dirige vers lui, conduit par ses compagnons, et se met à ôter de son front les bandelettes pour en couronner Agathon. Comme il les a devant les yeux, il n'aperçoit pas Socrate, et va s'asseoir à côté d'Agathon, entre Socrate et celui-ci, car Socrate s'est écarté pour faire asseoir Alcibiade. Il s'assied donc près d'eux, embrasse Agathon et lui met la couronne sur la tête. "Petits, dit Agathon, déchaussez Alcibiade, pour qu'il soit le troisième à cette table.

– Je veux bien, dit Alcibiade. Mais qui est ce troisième convive près de nous ?" Ce disant il se retourne, et voit Socrate. A cette vue, il fait un bond en arrière : "Par Héraclès, dit-il, qu'est-ce qui arrive ? Socrate, ici ? Encore un piège que tu me tends, couché à cette place ! C'est bien dans ta manière d'apparaître soudain où je t'attendais le moins ! Aujourd'hui que viens-tu faire ici ? Pour quelle raison, aussi, occupes-tu cette place ? Car tu n'es pas à côté d'Aristophane ni d'un autre farceur qui veut faire rire. Tu as trouvé le moyen de te placer près du plus bel homme de la compagnie."

"Agathon, dit Socrate, tâche de me défendre. Aimer cet homme, ce n'est pas pour moi une petite affaire ! Depuis le jour où je suis devenu amoureux de lui, je n'ai plus le droit de regarder un seul beau garçon, ni de lui adresser la parole. Ou bien alors, lui, il est jaloux, il est envieux, il me fait des scènes extraordinaires, il m'injurie, et pour un peu il me battrait. Donc, attention ! Empêche-le donc de faire encore une scène. Tâche de nous réconcilier, ou bien, s'il tente quelque violence, défends-moi, car sa fureur et sa passion d'aimer me font une peur terrible. – Non, dit Alcibiade, c'est impossible : entre toi et moi, pas de réconciliation. Mais je me vengerai une autre fois de tout cela. Pour le moment, Agathon, dit-il, passe-moi quelques-unes de ces bandelettes, que je ceigne aussi la tête de cet homme, cette tête merveilleuse. Je veux éviter ses reproches pour t'avoir couronné, toi, tandis que lui, qui par ses discours est vainqueur de tout le monde et ne le fut pas seulement avant-hier comme toi – il l'est toujours – je l'ai laissé sans couronne !"

Alcibiade couronne Socrate et se met à boire

Ce disant il prend les bandelettes, il en couronne Socrate, et s'installe sur le lit. Une fois installé, il reprend : "Voyons, mes amis, vous m'avez l'air bien sobres. Cela ne vous est pas permis : il faut boire, c'est convenu entre nous ! Comme roi du banquet, jusqu'à tant que vous ayez assez bu, c'est moi-même que je choisis. Allons, Agathon, qu'on m'apporte une coupe, une grande s'il y en a. Ou plutôt non, pas besoin. Petit, dit-il, apporte-moi ce seau à glace." Il venait d'en apercevoir un, de huit cotyles pour le moins [1]. Il le fit emplir, le vida le premier, puis ordonna de servir Socrate, en disant : "Avec Socrate, mes amis, pas besoin de malice : tant on lui dira de boire, tant il boira, et il ne sera pas plus ivre pour autant."

Alcibiade prononce à son tour l'éloge de Socrate

« L'esclave alors sert Socrate, qui se met à boire, et Eryximaque demande : "Que faisons-nous maintenant, Alcibiade ? Nous restons comme cela, sans parler de rien, la coupe en main, sans rien chanter ? nous allons seulement boire, comme les gens qui ont soif ? – Eryximaque, répond Alcibiade, excellent fils d'un père excellent et fort sage, je te salue. – Je te salue de même, dit Eryximaque. Mais que devons-nous faire ? – Ce que tu demanderas, car il faut t'obéir : *un médecin, à lui tout seul, vaut beaucoup*

1. Un cotyle équivaut à 27 centilitres. Le récipient en question, vase en fait, plutôt que « seau », fait donc plus de deux litres.

78

d'hommes. Ordonne donc à ton gré. – Alors, écoute, dit Eryximaque. Nous avions décidé, avant ton arrivée, que chacun à son tour, en allant de gauche à droite, devrait prononcer un discours sur l'Amour, le plus beau discours qu'il pourrait, et ferait son éloge. Pour nous, c'est fait, nous avons déjà tous parlé. Toi tu n'as rien dit et tu viens de boire : il est donc juste que tu parles à présent, qu'ensuite tu ordonnes à Socrate ce que tu voudras, et qu'il fasse de même avec son voisin de droite, et ainsi de suite. – Voilà qui est fort bien dit, Eryximaque, répondit Alcibiade. Mais quand on a trop bu, la comparaison avec des gens qui parlent à jeun risque de n'être pas égale. Et avec cela, heureux homme ! crois-tu un seul mot de ce que Socrate a dit tout à l'heure ? Sais-tu que c'est tout le contraire de ce qu'il déclarait ? Car lui, si je fais en sa présence l'éloge de quelqu'un, d'un dieu, d'une autre personne que lui, il n'hésitera pas à me battre. – Surveille ton langage ! dit Socrate. – Par Poséidon, s'écria Alcibiade, je t'interdis de protester, car je ne ferai l'éloge d'aucun autre que toi en ta présence. – Eh bien, fais comme cela, dit Eryximaque, si tu veux : prononce un éloge de Socrate. – Que dis-tu là ? reprit Alcibiade. Tu crois qu'il faut, Eryximaque... Dois-je m'attaquer au personnage, et me venger de lui devant vous ? – Mon garçon, dit Socrate, qu'est-ce que tu as en tête ? C'est pour être plus drôle que tu veux faire mon éloge ? Ou alors quoi ? – Je veux dire la vérité : à toi de voir si tu l'acceptes. – La vérité ? Mais bien sûr, que je l'accepte. Je te demande même de la dire. – Ce sera bientôt fait, dit Alcibiade. Pour toi, voici la consigne : si je dis quelque chose qui n'est pas vrai, coupe-moi la parole si tu veux, et dis que sur ce point-là je mens, car je ne mentirai jamais volontairement. Mais si en rappelant mes souvenirs je mêle un peu tout dans mon discours, n'en sois pas surpris, car il n'est pas facile, avec un caractère déroutant comme le tien, et dans l'état où je suis, de tout dénombrer avec aisance et dans l'ordre.

Éloge de Socrate par Alcibiade

"Pour faire l'éloge de Socrate, mes amis, j'aurai recours à des images. Il croira, sans doute, lui, que c'est pour être plus drôle, et pourtant l'image aura pour but la vérité, non la drôlerie. Je déclare donc qu'il est tout pareil à ces silènes [1] qu'on voit exposés dans les ateliers des sculpteurs, et que les artistes représentent un pipeau ou une flûte à la main ; si on les ouvre en deux, on voit qu'ils contiennent, à l'intérieur, des statues de dieux. Je déclare ensuite qu'il a l'air du satyre Marsyas [2]. Une chose est certaine : de figure, tu es leur pareil, Socrate : toi-même tu ne le contesteras pas. Quant aux autres ressemblances, eh bien, écoute à présent. Tu es un être insolent, n'est-ce pas ? Si tu ne le reconnais pas, je produirai des témoins.

1. Silène était un personnage laid : nez camus, regard bas, gros ventre. Souvent ivre, il était sage au fond. Il passait pour avoir élevé Dionysos. Son nom devint le nom générique des satyres vieillis.
2. Marsyas voulut, avec sa flûte, surpasser l'art d'Apollon, le dieu de la lyre. Il en fut puni durement.

"Mais, dira-t-on, tu n'es pas joueur de flûte ? Si, et bien plus merveilleux que Marsyas. Lui, il se servait d'instruments quand il charmait les hommes par la puissance de son souffle, et c'est ce qu'on fait encore à présent quand on joue ses airs sur la flûte. En effet, ce que jouait Olympos, je dis moi que c'était de Marsyas, qui fut son maître. Et ses airs, qu'ils soient joués par un bon artiste ou par une pauvre joueuse de flûte, sont seuls capables de nous saisir profondément, et de révéler ceux qui ont besoin des dieux et des initiations, car ces airs sont divins. Toi, tu diffères de lui sur un seul point : tu n'as pas besoin d'instruments, et de simples paroles te suffisent pour produire les mêmes effets. Une chose est sûre : quand nous entendons un autre orateur, si doué soit-il, tenir d'autres discours, cela n'intéresse pour ainsi dire personne. Mais quand c'est toi qu'on entend, ou quand un autre rapporte tes paroles, si médiocre qu'il puisse être lui-même, et qu'un homme, ou une femme, ou un adolescent l'entendent, nous sommes frappés au cœur, un trouble s'empare de nous.

"Pour moi, mes amis, si je ne devais pas vous sembler tout à fait ivre, je vous aurais dit – sous la foi du serment – quelle impression j'ai ressentie, et je ressens maintenant encore, à entendre ses discours. Quand je l'écoute en effet, mon cœur bat plus fort que celui des Corybantes en délire [1], ses paroles font couler mes larmes, et bien des gens, je le vois, éprou-

---

1. Les Corybantes étaient des génies particulièrement aptes à produire des désordres mentaux.

81

vent les mêmes impressions. Or, en écoutant Périclès et d'autres bons orateurs, j'admettais sans
doute qu'ils parlaient bien, mais je n'éprouvais rien
de pareil, mon âme n'était pas bouleversée, elle ne
s'indignait pas de l'esclavage auquel j'étais réduit.
Mais lui, ce Marsyas, il m'a souvent mis dans un tel
état qu'il me semblait impossible de vivre comme je
le fais – et cela, Socrate, tu ne diras pas que ce n'est
pas vrai. Et en ce moment encore, j'en ai conscience, si j'acceptais de prêter l'oreille à ses paroles,
je n'y tiendrais pas : j'éprouverais les mêmes émo-
tions. Il m'oblige en effet à reconnaître qu'en dépit
de tout ce qui me manque je continue de n'avoir
point souci de moi-même, et je m'occupe des affai-
res des Athéniens. Je me fais donc violence, je me
bouche les oreilles comme pour échapper aux Sirè-
nes, je m'éloigne, je fuis, pour éviter de rester là,
assis près de lui, jusqu'à mes vieux jours. Et
j'éprouve devant lui seul un sentiment qu'on ne
s'attendrait pas à trouver en moi : la honte devant
quelqu'un. Il est le seul homme devant qui j'aie
honte. Car il m'est impossible, j'en ai conscience,
d'aller contre lui, de dire que je n'ai pas à faire ce
qu'il ordonne ; mais quand je le quitte, je cède à
l'attrait des honneurs dont la foule m'entoure. Alors
je me sauve comme un esclave, je m'enfuis, et quand
je le vois j'ai honte de mes aveux passés. Souvent
j'aurais plaisir à ne plus le voir en ce monde, mais
si cela arrivait je sais que je serais encore plus
malheureux. Aussi, je ne sais que faire avec cet
homme-là.

"Voilà l'effet de ses airs de flûte, sur moi et sur bien d'autres : c'est cela, que ce satyre nous fait subir. Mais écoutez encore : je vais vous montrer combien il ressemble à ceux à qui je l'ai comparé, et combien son pouvoir est étonnant. Sachez-le, en effet : nul d'entre vous ne le connaît. Moi, je vais vous montrer ce qu'il est, puisque j'ai commencé. Vous observez qu'un penchant amoureux porte Socrate vers les beaux garçons ; il ne cesse de tourner autour d'eux, il est troublé par eux. D'un autre côté, il ignore tout, il ne sait rien – c'est du moins l'air qu'il se donne. N'est-ce point la façon d'un silène ? Si, tout à fait, car tels sont les dehors du personnage, à la manière du silène sculpté. Mais le dedans ? Une fois le silène ouvert, avez-vous idée de toute la sagesse dont il regorge, ô buveurs mes amis ? Sachez-le : qu'on soit beau ne l'intéresse pas, il méprise cela à un point incroyable, comme aussi de savoir si l'on est riche ou si l'on possède tel avantage que la plupart jugent enviable. Pour lui, tous ces biens n'ont aucune valeur, et nous ne sommes rien à ses yeux, je vous l'assure. Il passe toute sa vie à faire le naïf, à plaisanter avec les gens. Mais quand il est sérieux et que le silène s'ouvre, je ne sais si quelqu'un a vu les images fascinantes qu'il contient. Moi, je les ai vues déjà, et elles m'ont paru si divines, et précieuses, et parfaitement belles, et extraordinaires, qu'il me fallait en un mot exécuter toutes les volontés de Socrate.

"Or, je le croyais sérieusement épris de la beauté de ma jeunesse ; c'était pour moi une aubaine, je le crus, et une chance étonnantes. J'espérais bien, en retour du plaisir que je ferais à Socrate, apprendre de lui tout ce qu'il savait, car j'étais, bien entendu, merveilleusement fier de ma beauté. Dans cette pensée, moi qui d'ordinaire ne me trouvais jamais seul avec lui sans qu'un serviteur fût présent, je renvoyai cette fois-là mon serviteur, et je fus seul avec lui. Je vous dois toute la vérité : alors, écoutez-moi bien, et toi, Socrate, si je mens, reprends-moi. Me voilà donc avec lui, mes amis – seul à seul. Je croyais qu'il allait aussitôt me parler comme un amant parle en tête à tête à son bien-aimé, et j'étais tout heureux. Or il n'en fut absolument rien. Il me parla comme à l'ordinaire, resta toute la journée avec moi, et s'en alla. Dans la suite je l'invitais à partager mes exercices de gymnastique, et je m'entraînais avec lui, pensant que j'arriverais ainsi à quelque chose. Il s'entraînait donc en même temps que moi, et souvent il luttait avec moi, sans témoin. Que vous dire ? Je n'en fus pas plus avancé. Comme je n'aboutissais à rien par ce moyen, je crus que je devais attaquer mon homme de vive force, et ne point le lâcher, puisque je m'étais lancé dans cette entreprise : je devais à présent en avoir le cœur net. Je l'invite donc à dîner, tout comme un amant qui tend un piège à son bien-aimé. Même cela il ne mit pas d'empressement à l'accepter. Pourtant, au bout d'un certain temps, il se laissa convaincre. La première fois qu'il vint, il voulut partir après avoir dîné. Alors, j'eus honte, et le laissai s'en aller. Mais je fis une nouvelle tentative : quand il eut dîné je prolongeai la conversation, sans répit, fort avant dans la nuit, et lorsqu'il voulut se retirer, je fis observer qu'il était tard, et je le forçai à rester.

"Il était donc couché sur le lit qui touchait le mien, et où il avait dîné, et personne ne dormait dans l'appartement, que nous deux. Jusqu'ici, ce que j'ai dit pourrait fort bien se raconter devant tout le monde. Mais pour ce qui va suivre, vous ne me l'auriez pas entendu dire si, comme dit le proverbe, dans le vin (faut-il ou non parler de la bouche des enfants ?) ne se trouvait la vérité. Et puis laisser dans l'ombre un trait magnifique de Socrate, quand on est en train de faire son éloge, me paraît injuste. En outre, je suis comme celui qu'une vipère a mordu : après un tel accident, on se refuse, dit-on, à raconter ce qu'on a senti, sauf devant ceux qui ont déjà été mordus, parce qu'eux seuls peuvent comprendre et excuser tout ce qu'on a osé faire, ou dire, sous le coup de la souffrance. Moi donc, qui porte la morsure d'une dent plus cruelle et dans la partie de l'être où cette morsure est la plus cruelle, car c'est au cœur, ou à l'âme (peu importe le nom dont il faut user) que je fus atteint et mordu par les discours de la philosophie, lesquels pénètrent plus sauvagement que la dent de la vipère quand ils s'emparent d'une âme jeune et non dépourvue de talent, et lui font commettre et dire toute espèce d'extravagances – moi enfin qui vois des Phèdre, des Agathon, des Eryximaque, des Pausanias, des Aristodème, et aussi des Aristophane, sans parler de Socrate, et tant d'autres, tous atteints comme moi du délire philosophique et de ses transports dionysiaques, je vous demande donc, à tous, de m'écouter. Car vous me pardonnerez ce que j'ai fait alors, et ce que je dis aujourd'hui. Et vous, les serviteurs, et tous les profanes et les rustres s'il en est ici, mettez-vous sur les oreilles des portes bien épaisses.

Ainsi donc, mes amis, quand la lampe fut éteinte, et que les esclaves furent partis, je pensai que je ne devais pas ruser avec lui, mais dire franchement ma pensée. Je dis alors en le poussant : "Tu dors, Socrate ? – Pas du tout, répondit-il. – Sais-tu ce que je pense ? – Quoi donc au juste ? dit-il. – Je pense, dis-je, que tu es, toi, un amant digne de moi, le seul qui le soit, et je vois bien que tu hésites à en parler. Pour moi, voici mon sentiment : il est tout à fait stupide, à mon avis, de ne pas te faire plaisir en ceci, comme en toute chose où tu aurais besoin de ma fortune ou de mes amis. Rien en effet ne compte plus à mes yeux que de devenir le meilleur possible, et je pense que dans cette voie personne ne peut m'aider avec plus de maîtrise que toi. Dès lors je rougirais bien plus devant les sages de ne point faire plaisir à un homme tel que toi, que je ne rougirais, devant la foule des imbéciles, de te faire plaisir." Il m'écouta, prit son air de faux naïf, tout à fait dans son style habituel, et me dit : "Mon cher Alcibiade, tu ne dois pas être trop maladroit en réalité, si ce que tu dis sur mon compte est vrai, et si j'ai quelque pouvoir de te rendre meilleur. Tu vois sans doute en moi une beauté peu commune et bien différente de la grâce qui est la tienne. Si donc cette observation t'engage à partager avec moi et à échanger beauté contre beauté, le profit que tu penses faire à mes dépens n'est pas mince. Tu n'essayes pas de posséder l'apparence de la beauté, mais sa réalité, et tu songes à troquer, en fait, *le cuivre contre de l'or*. Eh bien, mon bel ami, regarde mieux, de peur de t'illusionner sur mon compte : je ne suis rien. La vision de l'esprit ne commence à être pénétrante que quand celle des yeux se met à perdre de son acuité : tu en es encore assez loin." A quoi je répondis : "En ce qui me concerne, je me suis expliqué tout à l'heure : je n'ai rien dit que je ne pense. A toi de décider ce que tu juges le meilleur pour toi comme pour moi. – Tu as raison, dit-il. Dans les jours prochains nous nous consulterons, et nous agirons de la manière qui nous paraîtra la meilleure à tous deux, sur ce point comme sur le reste." Je crus, après cet échange de propos, que j'avais en quelque sorte lancé des traits qui l'avaient blessé. Je me levai sans lui permettre de rien ajouter, j'étendis sur lui mon manteau – c'était l'hiver –, je m'allongeai sous son vieux manteau à lui, j'enlaçai de mes bras cet être véritablement divin et merveilleux, et je restai ainsi couché toute la nuit. Sur ce point-là non plus, Socrate, tu ne diras pas que je mens. Tout ce que je fis ainsi montra combien il était le plus fort : il dédaigna ma beauté, il s'en moqua, il lui fit outrage. Làdessus pourtant j'avais quelque prétention, messieurs les juges – car vous êtes juges de l'outrecuidance de Socrate. Sachez-le bien, je le jure par les dieux, par les déesses, je me levai après avoir dormi aux côtés de Socrate, sans que rien de plus extraordinaire se fût passé, que si j'avais dormi près de mon père ou de mon frère aîné.

Imaginez, après cela, l'état de mon esprit ! D'un côté je me croyais méprisé, de l'autre j'admirais son caractère, sa sagesse, sa force d'âme. J'avais trouvé un être doué d'une intelligence et d'une fermeté que j'aurais crues introuvables ; aussi je ne pouvais me fâcher et me priver de sa compagnie, et d'autre part je ne voyais pas comment l'attirer où je voulais. Je le savais bien plus totalement invulnérable à l'argent qu'Ajax ne l'était au fer[1]. Sur un seul point je croyais qu'il se laisserait prendre, et voilà qu'il m'avait échappé. Aucune issue ; j'étais asservi à cet homme, nul ne l'avait jamais été de cette façon à personne, et je tournais vainement autour de lui.

Socrate : son indépendance à l'égard des choses extérieures

"Tout cela m'était déjà arrivé quand vint l'expédition de Potidée[2]. Nous y servîmes tous deux, et nous prenions nos repas ensemble. D'abord, ce qui est sûr, c'est que pour résister aux fatigues, il était plus fort non seulement que moi, mais que tous les autres. Quand nos communications étaient coupées en quelque point, comme cela arrive en campagne, et que nous devions rester sans manger, nul autre n'égalait son endurance. Au contraire, si l'on était bien ravitaillé, il savait en profiter mieux que personne, en particulier pour boire ; il n'y était pas porté, mais si on le forçait il surpassait tout le monde et, c'est le plus étonnant, jamais personne n'a vu Socrate ivre – la preuve en sera donnée tout à l'heure, je pense. Ensuite, pour supporter le froid de l'hiver, car les hivers sont terribles là-bas, il était

1. Ajax disposait d'un énorme bouclier, fait de sept peaux de bœuf. Son corps avait été rendu invulnérable, sauf à l'aisselle, par la peau du lion de Némée, dont Héraclès l'avait recouvert après sa naissance.
2. Siège de Potidée en Macédoine, au début de la guerre du Péloponnèse (430-429).

étonnant. Ainsi par exemple, un jour de gel, ce qu'on peut imaginer de pire dans le genre, quand tout le monde évitait de sortir, ou bien ne sortait qu'emmitouflé de façon étonnante, chaussé, les pieds enveloppés de feutre ou de peaux d'agneau, Socrate sortait, lui, dans ces conditions-là, avec le même manteau qu'à l'ordinaire, et marchait pieds nus sur la glace plus facilement que les autres avec leurs chaussures : les soldats le regardaient de travers, croyant qu'il voulait les braver.

"Voilà ce que j'avais à dire là-dessus. *Ce que fit d'autre part, ce que sut endurer ce héros énergique* là-bas, un jour, à la guerre, cela vaut la peine d'être entendu. Il s'était mis à méditer, et restait là debout, depuis le petit matin, à la poursuite d'une idée. Comme cela n'avançait pas, il ne voulait pas lâcher et restait debout, à chercher. Il était déjà midi. Les hommes l'observaient, s'étonnaient, et disaient entre eux que Socrate était debout, en train de réfléchir, depuis le petit jour. Finalement, le soir venu, quelques Ioniens après leur dîner portèrent dehors leurs lits de camp, car on était alors en été, et couchèrent au frais tout en surveillant Socrate, pour voir s'il passerait encore la nuit debout. Or, il resta debout jusqu'à l'aurore et au lever du soleil. Puis il s'en alla, après avoir adressé sa prière au soleil.

Vaillance de Socrate

"Maintenant, si vous voulez, sa conduite au combat – car sur ce point également il faut lui rendre justice. Lors du combat à la suite duquel les généraux m'ont décerné le prix du courage, je n'ai dû mon salut qu'à cet homme. J'étais blessé, il refusa de m'abandonner, et il réussit à sauver tout à la fois mes armes et moi-même. A l'époque, Socrate, j'ai demandé aux généraux de te décerner ce prix : là-dessus tu ne pourras me faire de reproche, ou dire que je mens. Mais les généraux considéraient mon rang et voulaient me donner le prix, et tu as personnellement insisté, plus qu'eux, pour qu'il me revînt plutôt qu'à toi. Encore une autre occasion, mes amis, où il valait la peine de voir Socrate : quand l'armée, quittant Délion [1], se repliait en déroute. Le hasard me le fit rencontrer. J'avais un cheval, et lui portait son armement d'hoplite. Il se repliait donc au milieu de la débandade, en compagnie de Lachès. Je tombe sur eux par hasard, et dès que je les vois je les encourage, je leur dis que je ne les abandonnerai pas. Dans cette occasion-là j'ai pu observer Socrate, encore mieux qu'à Potidée, car j'avais moins à craindre, étant à cheval. D'abord il avait plus de sang-froid – ô combien ! – que Lachès. Et puis j'avais l'impression (ce sont tes propres termes, Aristophane) qu'il s'avançait là-bas comme dans les rues d'Athènes, *se rengorgeant*, *regardant de côté*, observant d'un œil tranquille amis et ennemis, et montrant clairement, et de fort loin, que si l'on voulait l'attaquer il se défendrait avec vigueur. Aussi se repliait-il sans être inquiété, lui et son compagnon : les gens qui se comportent de cette manière à la guerre, on n'essaye même pas de les

---

1. A Délion en Béotie, près de la frontière de l'Attique, les Athéniens furent mis en déroute par les Thébains en 424 ; cf. Thucydide, 4, 90-91.

attaquer, tandis qu'on poursuit ceux qui fuient en désordre.

Socrate est incomparable

"Il y aurait encore bien d'autres traits qu'on pourrait louer chez Socrate, et des traits admirables. Pourtant, s'il s'agit de sa conduite en général, un autre mériterait peut-être des éloges du même ordre. Mais qu'il ne ressemble à aucun homme, ni du passé, ni du présent, c'est cela qui est absolument merveilleux. Car on peut trouver l'image d'Achille dans Brasidas[1] et dans d'autres ; Périclès peut rappeler Nestor, Anténor[2], et ces cas ne sont pas isolés ; on peut faire des comparaisons semblables à propos de tous les autres. Mais l'étrangeté de cet homme-là, de sa personne, de ses propos, rien ne peut se trouver qui en approche, même en cherchant bien, ni dans le présent ni dans les temps anciens, à moins bien sûr qu'on le compare à ceux que je dis : non pas à aucun être humain mais aux silènes et aux satyres – qu'il s'agisse de sa personne ou de ses paroles. Car c'est une chose que j'ai omise en commençant : ses discours sont tout à fait pareils aux silènes qu'on ouvre. En effet, si l'on veut bien écouter ce que dit Socrate, cela peut paraître tout à fait ridicule au premier abord : tels sont les mots, les phrases, qui en forment extérieurement l'enveloppe – on dirait en vérité la peau d'un satyre insolent. Il parle

1. Brasidas, général spartiate. Il avait laissé le souvenir d'un grand chef et d'un beau caractère.
2. Nestor chez les Grecs, Anténor chez les Troyens, symbolisaient depuis Homère l'éloquence aisée.

d'ânes bâtés, de forgerons, de cordonniers, de tanneurs, et il a toujours l'air de dire les mêmes choses dans les mêmes termes. Aussi n'importe quel ignorant ou quel imbécile peut rire de ses discours. Mais une fois ces discours ouverts, si on les observe et les pénètre, on découvrira d'abord que, dans le fond, seuls d'entre les discours, ils sont intelligents ; puis ils sont absolument divins, ils renferment une foule d'images fascinantes de la vertu, ils sont de la portée la plus haute, ou plutôt ils visent tout ce qu'on doit avoir devant les yeux pour devenir un homme accompli.

Alcibiade met en garde Agathon

"Voilà, mes amis, mon éloge de Socrate. Quant aux reproches, je les ai mêlés au récit des insultes qu'il m'a faites. Du reste, je ne suis pas le seul qu'il ait traité de cette manière : il s'est conduit de même avec Charmide, le fils de Glaucon, avec Euthydème le fils de Dioclès, avec beaucoup d'autres qu'il trompe en ayant l'air d'un amant, alors qu'il tient plutôt le rôle du bien-aimé que celui de l'amant. Je t'en avertis, Agathon : ne te laisse pas duper par cet homme-là ! Que nos expériences t'apprennent la prudence ! Tâche de ne pas donner raison au proverbe qui dit : *L'enfant naïf ne s'instruit qu'en souffrant.*"

Épilogue. Il est clair qu'Alcibiade aime encore Socrate

« Quand Alcibiade eut ainsi parlé, l'on rit de sa franchise, car il avait l'air d'être encore épris de Socrate. Alors Socrate lui dit : "Tu n'as pas l'air d'avoir bu, Alcibiade, dit-il. Autrement tu n'aurais jamais fait de détours aussi subtils pour essayer de cacher l'objet de tout ton discours : tu en parles comme d'une chose accessoire, en lui faisant une place à la fin, comme si tu n'avais pas dit tout cela pour nous brouiller, Agathon et moi, parce que tu crois que moi je dois t'aimer, et ·n'aimer aucun autre, et qu'Agathon doit être aimé de toi, et n'être aimé d'aucun autre. Mais ta manœuvre ne m'a pas échappé. Ton drame satyrique, ton histoire de silènes, nous y voyons très clair. Allons, mon cher Agathon, il ne faut pas qu'il gagne à ce jeu ; fais en sorte que personne ne puisse me brouiller avec toi." Agathon répondit : "Tu pourrais bien dire vrai, Socrate. La preuve, pour moi, c'est qu'il est venu prendre place entre toi et moi, pour nous séparer. Mais il n'y gagnera rien : c'est moi, au contraire, qui vais aller me mettre près de toi. – C'est cela, dit Socrate ; viens t'installer ici, à la place au-dessous de moi. – O Zeus, dit Alcibiade, que me faut-il encore souffrir de cet homme ! Il s'imagine qu'avec moi il doit toujours être le plus fort. Voyons, tu es extraordinaire ! Au moins laisse Agathon se placer entre nous deux. – C'est impossible, dit Socrate. Car tu viens de faire mon éloge, et je dois à mon tour faire celui de la personne qui est à ma droite. Donc, si Agathon occupe la place au-dessous de toi, à ta droite, il n'ira pas faire lui aussi mon éloge avant que moi-même je n'aie fait le sien. Laisse-le plutôt où il est, mon divin ami, et ne sois pas jaloux de ce jeune homme si je fais son éloge, car j'ai grande envie de chanter ses louanges. – Bravo ! dit Agathon. Tu vois, Alcibiade : il n'est pas possible que je reste à cette place. Je veux à tout prix changer, pour que Socrate fasse mon éloge. – Voilà, dit Alcibiade, c'est toujours ainsi. Quand Socrate est là, il n'y a plus de place que pour lui auprès des beaux garçons. Maintenant encore, avec quelle aisance il a trouvé une raison plausible, pour que celui-ci soit placé près de lui !"

Tumulte, beuverie, sommeil. Socrate reste lucide

« Agathon se levait pour aller s'installer près de Socrate, quand soudain toute une bande de fêtards arriva devant les portes. Les trouvant ouvertes – quelqu'un sortait – ils entrèrent tout droit jusqu'à nous et s'installèrent aux tables. Grand bruit dans toute la salle : sans aucune règle à présent, on fut obligé de boire énormément de vin.

"Alors, me disait Aristodème, Eryximaque, Phèdre et quelques autres se retirèrent. Lui, Aristodème, fut pris de sommeil et dormit très longtemps car les nuits étaient longues. Il s'éveilla vers le jour : les coqs chantaient déjà. Une fois réveillé, il vit que les autres dormaient ou étaient partis. Seuls Agathon, Aristophane et Socrate étaient encore éveillés et buvaient dans une grande coupe qu'ils se passaient de gauche à droite. Socrate s'entretenait avec eux. Aristodème ne se rappelait pas, me disait-il, le reste de leur conversation, car il ne l'avait pas suivie depuis le début, et il somnolait quelque peu. Mais pour s'en tenir à l'essentiel, disait-il, Socrate les obligeait à reconnaître qu'il appartient au même homme de savoir composer comédie et tragédie, et que l'art qui fait le poète tragique fait aussi le poète comique. Ils étaient obligés de l'admettre, et ne suivaient plus très bien : ils commençaient à s'assoupir. Le premier à s'endormir fut Aristophane, puis, comme il faisait déjà grand jour, Agathon l'imita.

Alors Socrate, les ayant de la sorte endormis, se leva et partit. Aristodème le suivit, comme à son habitude. Socrate se rendit au Lycée [1], se baigna et passa le reste de la journée comme il l'eût fait en toute autre circonstance. Après quoi, vers le soir, il rentra chez lui pour se reposer. »

---

1. Le Lycée était un des gymnases d'Athènes. Socrate s'y rendait souvent.

76

Achevé d'imprimer en Europe
à Pössneck (Thuringe, Allemagne)
en juillet 2001 pour le compte de EJL
84, rue de Grenelle 75007 Paris
Dépôt légal juillet 2001.
1er dépôt légal dans la collection : juillet 1995

Diffusion France et étranger : Flammarion